巡视利剑

本书编写组

人民出版社
中国方正出版社

责任编辑：郑牧野　刘敬文　郑　治
封面设计：周方亚
版式设计：王欢欢
责任校对：白　玥

图书在版编目（CIP）数据

巡视利剑／本书编写组　编．—北京：人民出版社，中国方正出版社，
　2017.10
ISBN 978－7－01－018494－4

I.①巡…　II.①巡…　III.①中国共产党－纪律检查－概况
　　IV.①D262.6

中国版本图书馆 CIP 数据核字（2017）第 263265 号

巡视利剑

XUNSHI LIJIAN

本书编写组　编

人 民 出 版 社
中国方正出版社 出版发行

（100706　北京市东城区隆福寺街99号）

北京中科印刷有限公司印刷　新华书店经销

2017年10月第1版　2017年10月北京第1次印刷
开本：710毫米×1000毫米 1/16　印张：7.75
字数：73千字
ISBN 978－7－01－018494－4　定价：20.00元

邮购地址 100706　北京市东城区隆福寺街 99 号
人民东方图书销售中心　电话（010）65250042　65289539

版权所有·侵权必究
凡购买本社图书，如有印制质量问题，我社负责调换。
服务电话：（010）65250042

目　录

第一集　利剑高悬 ·········· 001

第二集　政治巡视 ·········· 023

第三集　震慑常在 ·········· 047

第四集　巡视全覆盖 ·········· 069

附　录 ·········· 093

本书视频索引 ·········· 119

第一集

利剑高悬

第一集《利剑高悬》完整视频

党的十八大以来，我们党从肩负的历史使命出发，直面"四大考验""四种危险"，把全面从严治党纳入"四个全面"战略布局，着力从严从细管党治党，党的建设实现重大历史性变革，党经历了洗礼和锻造，党的凝聚力、战斗力和领导力、号召力大大增强，党心民心更加凝聚。

习近平强调，我们坚定不移推进全面从严治党，着力解决人民群众反映最强烈、对党的执政基础威胁最大的突出问题，形成了反腐败斗争压倒性态势，党内政治生活气象更新，全党理想信念更加坚定、党性更加坚强，党自我净化、自我完善、自我革新、自我提高能力显著提高，党的执政基础和群众基础更加巩固，为党和国家各项事业发展提供了坚强政治保证。

全面从严治党，是十八届党中央治国理政的重大政治成就。以习近平同志为核心的党中央，从坚持和加强党的领导这一根本原则出发，把全面从严治党纳入战略布局，把巡视作为全面从严治党的重大举措，赋予巡视制度新的活力，有力推动管党治党迈向标本兼治。

习近平总书记：

巡视是党内监督的战略性制度安排，必须有权威性，成为国之利器、党之利器。

巡视发挥作用，根本在于党章的权威、党中央集中统一领导的权威。早在2013年4月25日，习近平总书记主持中央政治局常委会会议，审议《中央巡视工作领导小组第一次会议研究部署巡视工作情况的报告》，总书记强调："巡视是党章赋予的重要职责，是加强党的建设的重要举措，是从严治党、维护党纪的重要手段，是加强党内监督的重要形式。""反腐败斗争形势依然严峻复杂，巡视工作只能加强，不能削弱。"

党的十八大以来，中央政治局会议、中央政治局常委会会议先后23次研究巡视工作，确立巡视工作方针，决定实行一届任期巡视全覆盖。习近平总书记每次都详细审阅巡视报告，发表重要讲话，全面系统阐述巡视任务，对发现的问题有针对性地评判，对落实整改责任、运用巡视成果作出指示，为巡视工作在坚持中深化指明了方向。

十八届党中央开展了12轮巡视，共巡视277个党组织，对16个省区市进行了"回头看"，对4个中央单位开展了机动式巡视，兑现了全覆盖的政治承诺。党中央的巡视抓住并推动解决党和国家根本性、方向性、全局性问题，发挥出令人瞩目的利剑作用。

十八届中央纪委执纪审查的案件中，超过60%的线索来自巡视。巡视不只是剑指个人的贪腐，也不留情面地揭开一些地方政治生态严重恶化的问题。山西系统性、塌方式腐败和三大贿选案：湖南衡阳破坏选举案、四川南充和辽宁拉票贿选案，都是巡视发现的。

辽宁省委原书记　王珉：

确实我跟你讲，后期我现在想想，不光是极端的不负责任，简直是拿我自己的政治生命开玩笑。

王珉，2009年到2015年担任辽宁省委书记，辽宁拉票贿选案正是发生在他主政期间。辽宁省委换届、省人大常委会换届、全国人大代表换届这三次选举中，连续出现违规提名、身份造假、拉票贿选。辽宁省委原常委苏宏章、省人大常委会原副主任王阳、郑玉焯，都是通过拉票贿选当选；102名当选的全国人大代表中有45名拉票贿选，参加投票的616名省人大代表中有523人收受钱物，116人作为中间人转送钱物。作为省委书记，王珉对选举中的问题，尤其是对自己做过什么心里清楚，因此，当2014年中央巡视组第一次巡视辽宁时，王珉深感不安。

辽宁省委原书记　王珉：

对巡视组有担心，也是千方百计地打听，叫他们把巡视组的一些动向，找一些什么人谈话，比如说他们派人到大连去了，他们派人到鞍山去了，是不是调查王阳的情况。

果然，中央巡视组发现了选举存在严重问题。当时还没有证据指向王珉与选举乱象有关，中央巡视组本着对辽宁省委信任的态度，巡视反馈意见第一条就明确要求辽宁省委对选举问题进行调查和整改。而王珉则认为自己就算过关了，对中央的要求只是走了走过场。

辽宁省委原书记　王珉：

从字面上来讲一步一步都去整改了。但是我现在讲实在话，就没有认认真真地去从细节上每一个每一个去落实它。只是想不要被查到，盖子不要揭开，只要能捂住，这个事情是能混过去的。

辽宁省实际上对问题根本没有展开调查，贿选官员和人大代表也无一被追责。当时，衡阳破坏选举案和南充拉票贿选案都已经被严肃查处，王珉自认为中央已经抓出了两个拉票贿选案，应该不会再对辽宁的问题较真了。

辽宁省委原书记　王珉：

我想从政治上考虑不会抓一个省的，只会抓一个地级市的，抓一个县级市的。我也觉得我老书记了，在两个省当过省委书记，当过两届的全国没有几个人。

王珉对形势的判断显然是错误的。党的十八大以来，反腐败无禁区、全覆盖、零容忍，辽宁省对调查整改的敷衍态度，不仅没能如王珉所愿捂住盖子，反而让中央感到问题可能更为严重。2016年中央巡视首次开展"回头看"，就把辽宁作为四个"回头看"的省份之一，王珉本人也被列为重点关注对象。

时任中央第三巡视组副组长　刘维佳：

王珉他为什么回避或者忌讳这个问题，我们在辽宁，就是按照中央的要求和部署，盯的重点人就是王珉、苏宏章、王阳这些人，盯的重点事就是三次选举，我们抓的重点问题就是拉票贿选。

和大量干部群众谈话是巡视的重要方法，但辽宁参与拉票贿选的人多面广，自然会想尽办法混淆视听，巡视组感觉到了这种看不见的障碍。但很多人并没有想到，假话往往能给巡视组提供信息和启示。

时任中央第三巡视组副组长　刘维佳：

要想把这潭水搅浑的人不少，他可能有时候还会给你提供一些误导你的一些所谓的说法。认真地听，耐心地听，会发现很多漏洞，比如说他明明说的是假话，但是我们可以通过一些资料、一些文件会议记录里边就可以证实他说的不是真实的。

人会说谎，资料不会。调阅海量资料，也是巡视组必做的功课，看似寻常的日常文件和记录，有价值的信息往往就散落其中。在查阅资料中，巡视组就发现了指向王珉和选举乱象直接相关的重要细节。

时任中央第三巡视组副组长　刘维佳：

苏宏章作为省委常委的差额人选，这是王珉他自己私自提出来的，没有经过省委常委会的集体研究，这可以通过查阅省委常委会的会议记录，就可以证明这一点。王阳作为省人大常委会副主任的这个差额人选，这个也是王珉坚持提名，由工作人员拿着传阅件，让各位省委常委来签字，严重违反了我们的政治纪律和我们的工作程序。

查阅会议记录还发现，2013年到2015年，省委常委会连续三年没有听取省纪委年度工作汇报，这一信息从侧面清晰地反映出，王珉对纪委工作是什么态度。

辽宁省委原书记　王珉：

我到辽宁的后期，我实际上是守摊子，我就想不出事。有时候省纪委要我签字的时候，说哪个哪个要双规了，哪个哪个要立案了，我都要跟他们说半天，这个证据是不是特别固定了，我讲如果能够保护，最好少抓，希望大家能够软着陆。

王珉曾经担任苏州市委书记、吉林省委书记，这位大学教授出身的官员曾经做出了一些成绩，显示出自己的能力。但到辽宁工作后，他认为已经是最后一个岗位了，不想去得罪人，尽力维持一团和气。省委书记既然是这个态度，拉票贿选渐渐变得全无顾忌，送钱送物几乎都是半公开状态。

辽宁省委原常委、政法委书记　苏宏章：

比如说省委委员，我直接认识的我直接约见面，我直接跟他谈我的想法。临走时说有个小礼物要送给你，那小礼物包着或者在袋里，就送给你。有的时候推托一下，有的时候（说）那行，客气客气，就收下了。

所谓的小礼物其实都不小。辽宁贿选涉案的礼品有金条、几万元的购物卡、苹果手机等等，涉案贿赂金额超过5000万元。苏宏章一个人就花了400万元购买金条和购物卡，这些钱都是向企业老板索要的。在沈阳燃气公司的内部小食堂，苏宏章多次召集亲信密会，商量贿选的分工和步骤。给王珉行贿，也是在这里商定的步骤之一。

沈阳市燃气公司原总经理　张国辉：

他说我想跟你们公司想用点钱、拿点钱。我说用多少啊？他说旁边有个小黑包，你给我装那个包里得了，我说也就是二三十万（美元）吧，他说行。

张国辉给苏宏章的小黑包里装上了30万美元，这个黑包很快就到了王珉的办公室。

辽宁省委原常委、政法委书记　苏宏章：

跟他汇报一下工作，黑兜放那，放那之后临走我说王书记有点东西放那，都明白。

辽宁省委原书记　王珉：

打开一看是美元，我就赶快封了，就赶快收好，第二天早上我就叫秘书通知他，你这个肯定是有问题的，你这个拿走吧。

虽然王珉没敢收下这笔钱，但苏宏章当面用巨款贿选，王珉不仅没有批评，还继续把他作为候选人上报。在几次选举过程中，省纪委、省委组织部等部门，包括王珉的秘书都曾向王珉汇报选举中有不正常现象，但王珉都放任不管。

辽宁省委原书记　王珉：

我的秘书跟我讲，阜新市市委的秘书长给他打电话，叫他们投王阳一票，那他说这个是拉票。组织部跟我一报告，说有四个人造假。我觉得也不要太追了，把这事情搞出来，有什么好处呢。

除了默许纵容，王珉甚至亲自出面替数名企业老板打招呼，帮助他们获得提名。这背后的原因,是王珉和这些老板有权钱交易,收过他们的钱物。当老板们提出想当人大代表时,王珉自然也就无法拒绝。

辽宁省委原书记　王珉:

由于我自身的腐败,经不了诱惑,我不是也拿了别人的东西吗,来找我(说)我愿意当人大代表,你帮我说一说。我说行,帮你说一说。

作为"一把手"不去维护选举的公正威严,反而带头破坏,后果极其可怕。一些本来没有拉票贿选的候选人,看到别人又跑又送搞得轰轰烈烈,也产生了强烈的危机感,随后也开始活动,拉票贿选行为像瘟疫一样恶性蔓延。选举期间,会场上也有人公然打招呼拉票,代表驻地更是不断有人进出送钱送物。各路官员、老板、候选人、投票人、中间人汇集在这里,他们各怀心思,有的全无顾忌,有的忐忑不安,有的心存无奈,但最终都相互裹挟着卷入这场乱战。

辽宁省人大常委会原副主任　郑玉焯:

当我听说王阳四处活动拉票的时候,我就有些坐不住了,怕会影响到自己,就打了招呼,有的呢还动用了公款为我拉票。

沈阳市原副市长、贿选中间人　祁鸣:

也有过害怕的心理,因为那个金条太重了。

原全国人大代表、村党委书记　张文成:

当时都纷纷拿钱去拉票,如果我要是不参与点儿,肯定我是选掉了。选掉我又是老代表,脸面上非常难看,我搁内心说我是不愿意……

在忏悔录中，王珉写道："正是由于我的不负责任，让党中央的权威被漠视，让严肃的选举制度被亵渎，让'人民代表'的称号被玷污，在全党全社会造成极其恶劣的政治影响。"

辽宁拉票贿选案经历两次巡视，真相终于浮出水面。对这一案件的坚决彻查，再次给全党敲响警钟。

警钟长鸣，利剑高悬。十八届中央巡视工作，鲜明地向全党传递出了这样的信息。党的十八大以来，党中央把巡视工作摆上更突出的位置。习近平总书记亲自部署，提出一系列理论创新、实践创新、制度创新，让巡视这一党内监督方式，焕发出全新的活力和巨大的威力，真正成为管党治党的利器。

习近平总书记：

我们加强对巡视工作的领导，擦亮巡视利剑，聚焦发现问题、形成震慑。

"发现问题、形成震慑"，这八个字是十八大以来巡视工作方针的根本变化，也让巡视工作效果获得根本性提升。在2013年中央第一轮巡视启动之前，习近平总书记就做出了明确的重要指示，他指出："巡视工作要明确职责定位，巡视内容不要太宽泛"、"巡视工作就是要发现和反映问题"、要"发挥震慑力，无论是谁，都在巡视监督的范围之内"。

中央巡视办主任　黎晓宏：

总书记关于巡视讲话先后有23次，先后还有50多次关于巡视工作的批示和指示，形成了中国特色巡视工作的理论体系。在职能定位上，明确了发现问题、形成震慑，体现了党内监督的严肃性。

聚焦发现问题，十八大以来巡视威力陡显。从2013年5月十八届中央第一轮巡视启动，到2017年6月第十二轮巡视收官，巡视组所到之处，问题导向贯穿始终。对这一点，一些落马官员有最切身的感受。

福建省原省委副书记、省长　苏树林：

当时我反应感觉很突然，也感觉不突然。感觉很突然，就是我没有想过会对我采取组织措施，不突然就是我有问题。

苏树林，福建省原省委副书记、省长，曾在石油系统工作多年，2007年到2011年间担任中石化集团"一把手"。2014年11月，中央第六巡视组巡视中石化，当时已经在福建任职的苏树林，密切关注着巡视中石化的情况。

福建省原省委副书记、省长　苏树林：

我知道2014年底中央巡视组对中石化进行巡视。也有过担心。就想打听一些消息。

苏树林出身大庆油田，干了11年技术工作，此后走上管理岗位，37岁就成为大庆石油管理局"一把手"，不到40岁就成为中石油集团党组成员、副总经理。职位不断晋升的过程中，苏树林却逐渐迷失，为一些企业在设备推广、承揽项目、合作开发、销售产品等方面提供帮助，并收受他们的钱物。

福建省原省委副书记、省长　苏树林：

开始实际上是我自己给民企的老板办事，然后收他们的好处。到后来又到中石化工作了，后来官大了我就想，自己再直接帮他们办，影响大，风险也大了。后来我就让我弟弟去帮民营企业办事，我给他站台，帮他打招呼，然后让他前面去跑，让他代我收受好处。是我让他去做的，我害了他。

除了通过项目牟利，平时，苏树林把国有的石油企业当作可以随意取用的私人银行。下属企业为他定制高级服装、出资购物达数百万元，他都安心接受；私人的各种花销也都在中石化报销，即便到福建任职后依然如此。落马后再回忆起这一切，苏树林有许多悔恨。

福建省原省委副书记、省长　苏树林：

其实我妈对我要求挺严的。1994年，我刚当厂长的时候，她就跟我说，她说你当官了，要干干净净、清清白白，挣多少就吃多少，只吃槽子里的，不吃槽子外的。2014年的时候，她又跟我说起了1994年她跟我说的那段话。那时候因为中央在抓反腐败，已经查出了很多人了嘛，她是要求我要注意。正好20年，无言以对。

遗憾的是，当权力在手时，苏树林忘记了母亲的嘱咐，更多考虑的是如何既获取利益，又不让人发现。但是，没有不透风的墙。例如苏树林公款报销个人花销，在中石化干部职工中早已不是秘密。当他调职福建之后继续报销时，曾有看不惯这种做法的人在网上发帖议论。苏树林看到后第一时间采取了行动,不是停止报销,而是想办法删帖。

中央纪委纪检监察室工作人员　章盼:

他安排有关人员协调把这些网帖给删除掉,把当时购物的这些大额的发票替换成小额的发票。然后,把原来具体的经办人调离原来的这个接待岗位,他前面违纪有一个很典型的特点,边抹平边违纪,把前面有可能出现的危险先给它抹平掉,但是继续在这个事情上不收手、不收敛、继续做。

有些东西可以抹平,但干部职工的看法,是苏树林无法抹平的。中央巡视组进驻中石化之后,陆续收到了大量关于苏树林的反映。

时任中央第六巡视组副局级巡视专员、联络员　王海峰:

群众也有一个观望的过程,让群众感受到巡视组是在真巡视,真去查问题,这样群众才有信心,才会去积极地给你来信,给你提供材料、提供线索。

报销私人费用、亲属利用他的职权牟利、一些海外项目决策不透明不民主,造成国有资产重大损失等问题,对此,苏树林心里十分清楚,自然感到紧张,他仍然保持一贯思路,想办法要抹平漏洞。

时任中央第六巡视组副局级巡视专员、联络员　王海峰:

我们要了什么资料,看了什么账目,找了什么人,他们也都是一步一步密切关注。而且把我们每一天的情况都跟苏树林报告。他当时是福建省的省长,他利用到北京开会的机会,就找其中的一个人,他们共同运作这个项目的人,来密谋这个事。

资料都赶紧清理，该销毁的销毁，该修改的修改，统一口径。我们通过他们私下的这些活动，私下的串通，更印证了他的问题的存在。

2015年10月，已经担任福建省委副书记、省长的苏树林，因为在中石化期间的问题被立案审查。

发现问题、形成震慑，为巡视工作带来根本改变。习近平总书记强调："实践证明，中央巡视工作方针完全正确。全面从严治党，必须利剑高悬、震慑常在，中央的态度是坚定不移的，全力支持巡视工作。"他要求："巡视组要当好党中央的'千里眼'，找出'老虎''苍蝇'，抓住违纪违法线索。要落实监督责任，敢于碰硬，真正做到早发现、早报告，促进问题解决，遏制腐败现象蔓延的势头。"

当巡视组真正致力于发现问题，各种掩盖伪装其实都不难识破。更重要的是，这也赢得了群众的信任和支持，当群众感受到是真巡视、真发现问题，他们就敢于讲真话，反映真实情况，巡视中大量问题线索都是由他们提供的。

2014年3月，中央第五巡视组在天津巡视期间，收到群众来信来电来访1万多件次，其中大量内容涉及天津市政协副主席兼公安局局长武长顺。武长顺在民间被称为武爷，从这个称呼里不难读出人们对他的看法。

天津市政协原副主席、天津市公安局原局长　武长顺：

公安局长变成爷了嘛，这个跟人民对立了。名声是不好听的。

虽然有许多关于武长顺的问题举报，但几乎都是匿名的。由于他公安局长的身份，人们在举报时难免顾虑非常大。

时任中央第五巡视组正局级巡视专员、联络员　任爱军：

都是一些匿名的信，哪个教练场是他家亲戚办的，哪个检测场是他家的，哪个信号灯、广告牌也是他家做的。特别是在一些举报电话里面就说，查不查武长顺就是看你们是不是真的反腐败，这也是对你们中央巡视组的一个检验。

有趣的是，巡视组接到大量反映武长顺的问题线索，而武长顺本人居然也来给巡视组反映问题线索。

中央纪委纪检监察室副局级纪律检查员、监察专员　吕留献：

武长顺这个人工于心计，他觉得你们巡视组来了，肯定你们要发现问题，肯定要重点查一个人，那他就利用他们公安局经侦总队查一个案子涉及的中管干部线索，他主动找到巡视组说，我向你们提供一个情况，他就是希望你把这个注意力集中到这个人身上去，他自己得到解脱了。

巡视组关注着武长顺，武长顺其实更在关注着巡视组。他已经和亲信们提前统一口径，商量如何应对巡视组。

天津市交管局原党委副书记、副政委　陈和平：

巡视组到天津去的时候，他给捋了一遍，怎么来怎么去捋了一遍，我说那叫统一口径，人家实际上巡视组也没问这事。

这些准备并没有派上用场，巡视组在和武长顺接近的人打交道时，并不去直接触碰敏感问题，以免打草惊蛇。不过，巡视规定和所有中管干部都要进行谈话，这意味着和武长顺本人必然有一次正面过招。

时任中央第五巡视组正局级巡视专员、联络员　任爱军：

原则就是不惊动、可控制。比如说问他，因为省部级领导干部谈话之后都要问一下，你个人廉洁自律怎么样，他说没有问题的。申报什么的都是如实申报的吗？是如实申报的。他女儿有香港的身份，他就没有申报。有很多的自己的一些想法不愿意说，那不愿意说就不愿意说，你不说，将来会有时间让你说。

武长顺没有如实申报的东西，自然远不止这一项。他多年来私下经营多家公司，从一开始就精心布局，这些公司无一在他本人或家属名下，全部由朋友、同学、亲信代持。

涉案商人　杜秀敏：

我充当了一个他的挡箭牌。他们公司在哪儿，公司的办公室都有哪些人办公我都不清楚。

涉案商人　闫荣生：

这个企业从投资、从收益、从管理，从各方面都得听那个武长顺的，我们只不过就是以我们名义代持一下。

作为公安局长，武长顺有着很强的反侦查意识。他多年来不断成立、注销各种公司，频繁变换股权，试图让公司背景变得难以追查。不少代持人甚至对自己名下公司的情况一无所知，能得到武长顺信任帮助他打理的核心团队不到十人，由亲属和亲信组成，每周武长顺会召集他们到家中，听取汇报、做出指示。武长顺还给他们配备了和自己联系的专用手机，每隔一段时间就要销毁换号。

天津市政协原副主席、天津市公安局原局长　武长顺：

我用的时候我给打出去，打完我就关掉了。一般就是两三个月，两三个月换一轮。

武长顺并非在经营上有特殊才能，而是靠权力获得资源。这些公司的重要业务就是承接交管设施项目，这都是武长顺的职权范围。他还授意下属利用公权力为他清除竞争对手，把一些项目交给他控制的公司垄断经营。

时任天津市交管局设施处处长　庞文升：

限我两年期间，全部清走，49家。我召开了处长办公会。我顶着风浪，硬着头皮，一年半清理了，就是（武长顺的）正直公司独家干啊。

武长顺的所作所为，严重损害公众利益。他控制的公司承接公安交管部门项目，价格高于市场价，保障公司获得高收益，实际上是用公共财政给私人企业输血。武长顺占有股份的联华停车场有限公司垄断了停车场经营权，既无人竞争，也无人监督，结果管理随意、层层转包，乱划线、乱收费，引发市民强烈不满。

快板书：

有个大公司，名字叫联华，要说这买卖，能耐实在大，天津大小路，全都能拿下，只要一停车，您就交钱吧，六块至八块，多少全凭他……

2013年，一段讽刺这些乱象的快板书《说联华》在网上流传开来，作者是天津市河北区人大常委李子健。他并不知道联华的背景，无意中戳到了武长顺的痛处，为自己惹来了大麻烦。武长顺看到后大动肝火，李子健被要求写下道歉信还不算完，还被几次请进公安局接受"批评教育"。

天津市河北区人大常委会委员　李子健：

写完这个道歉信以后，又找我了。就说叫批评教育吧，提前也有人嘱咐我了，什么也别说，只承认是自己错了，念及你是人大常委，提出批评，就不拘留了，知道吗。给我了一个叫治安警告处分。

警权，不止一次因武长顺的私利而被滥用。当自家公司和其它公司起了民事纠纷，武长顺动用边控、技侦、冻结资产、查封账户等刑事案件手段，给对手施加压力。巡视期间，有一名知情人联络巡视组，希望当面反映问题，但是他提出，不敢在天津地界和巡视组见面。

时任中央第五巡视组正局级巡视专员、联络员　任爱军：

到中纪委，到我的办公室去。他的戒心、恐惧感是可想而知的。他带着两部手机当时，全都卸下来，把手机电池全都抠下来了，我说你什么意思？他说我害怕。我说你怕什么？他说我怕（武长顺）对我下黑手。

巡视组很清楚，这次面对的是一个掌握特殊手段的对手。一边要坚决把线索找出来，一边必须严防对方察觉，这是一场不动声色的暗战。巡视组巡视期间需要每晚开会总结情况、梳理问题，讨论下一步工作方向，在天津，这一切都在非常态下进行。

时任中央第五巡视组正局级巡视专员、联络员　任爱军：

我们格外地小心，尤其是会议室、宿舍，我们专门用仪器设备进行了扫描，看有没有安一些窃听器，开会的时候要把收音机打开，即使你安了窃听器，它会干扰，不让他听清我们在谈论什么东西，我们都不在手机上说有关工作上的问题，或者发有关工作上的信息的。我们去研究一些工作，去散步，到河边。

看似平静无波的表面下，巡视组对武长顺问题的深入了解在有序进行。当巡视组结束巡视离开天津时，许多举报的问题已经被坐实，并成功地做到了没有惊动武长顺。

每次巡视结束后，各巡视组会把问题线索移交给纪检机关，逐一登记存档，同时会提出处置建议。2014年6月，当巡视组向中央纪委移交武长顺相关线索的同时，明确建议把他列为重点对象。

2014年7月9日，中央巡视组向中共天津市委反馈巡视意见。坐在台下的武长顺以为这次巡视已经顺利过关。7月19日，武长顺的女婿出境办事，触发边控被拘，他本人才意识到情况不妙，匆忙从饭局赶回家中，召集手下作最后的挣扎。

天津市政协原副主席、天津市公安局原局长　武长顺：

报表什么这些材料，凡是跟家里面没关系的那些东西，全部给它用粉碎机粉碎掉了，东西都要拉走。就是拉走一汽车，还没有都拉全。然后我又开了一个会，我跟高管讲，中央要查我。这样的话，你们反正也知道，（就说）股权也是你们的。

即便武长顺有丰富的反侦查经验,但他所做的一切已经毫无意义了。

中央纪委纪检监察室副局级纪律检查员、监察专员　吕留献:

他本人有什么行动是不可能的了,当时他已经是完全在我们掌控之内了。19号下午触网,20号早上武长顺到案。

2014年7月20日,武长顺接受组织调查。2017年5月,武长顺被判处死刑,缓期两年执行。

权力来自人民,必然要接受人民的监督。党的十八大以来,中央12轮巡视共处理来信来访159万件次,与党员干部和群众谈话5.3万人次,发现各类突出问题8200余个。对所有来访来信来电,每一次每一件都认真负责处理。实践证明,巡视监督是党内监督和群众监督相结合的有效方式,彰显中国特色社会主义民主监督的制度优势。自上而下的组织监督与自下而上的民主监督在这里相遇,共同维护和促进党和国家的肌体健康。

习近平总书记:

全党要以自我革命的政治勇气,着力解决党自身存在的突出问题,不断增强党自我净化、自我完善、自我革新、自我提高能力。经受"四大考验",克服"四种危险",确保党始终成为中国特色社会主义事业的坚强领导核心。

实现中华民族伟大复兴,关键在党。十八大以来,党中央从巡视突破,高悬巡视利剑,坚定不移改进作风、惩治腐败,推动全面从严治党步步向纵深发展,为如期全面建成小康社会提供坚强保障,为实现中华民族伟大复兴的中国梦奠定坚实基础。

第二集 政治巡视

第二集《政治巡视》完整视频

习近平总书记明确强调，巡视是政治巡视；要提高政治站位，坚持以下看上；重点对象是党的领导机关和领导干部，特别是主要领导干部……

十八大以来，随着一轮轮巡视的进行，定位越来越准确，任务越来越清晰。习近平总书记强调，要坚定不移深化政治巡视，以问题为导向，发挥政治"显微镜"、政治"探照灯"作用，推动巡视工作向纵深发展。突出巡视监督政治作用，以"四个意识"为政治标杆，把贯彻"五位一体"总体布局和"四个全面"战略布局作为基本政治要求，把维护党中央集中统一领导作为根本政治任务，发挥巡视政治导向作用。

2016年2月，十八届中央第九轮巡视对国家发改委、民政部、司法部等32家单位党组织开展专项巡视。王岐山同志在动员部署会上要求，要认真学习领会习近平总书记系列重要讲话精神，突出坚持党的领导，聚焦全面从严治党，深化政治巡视。这轮巡视发现，各单位党组织在管党治党上不同程度存在问题。

也有中管干部因此落马,司法部原党组成员、政治部主任卢恩光就是其中之一。

司法部原政治部主任　卢恩光:

我就是个官迷。想想自己走过的这20多年的路,就像梦一样,就像一场噩梦,自己疯了。

调查发现,卢恩光是一名年龄造假、学历造假、入党材料造假、工作经历造假、家庭情况造假的"五假干部"。这是改革开放以来一起罕见的个人情况全面造假、金钱开道、投机钻营、跑官买官,从一名私营企业主一步步变身为副部级领导干部的典型案件。卢恩光的严重违纪问题得以浮出水面,源于中央巡视组巡视司法部时,核查他入党材料时的一个发现。

时任中央第六巡视组副组长　陈毓江:

发现他是1990年填报的入党志愿书,有这样的表述,说学习邓小平同志南巡讲话精神,大家知道小平同志南巡讲话是发生在1992年,两年以前就能够学习两年以后的小平同志的讲话精神,那么很显然他这个入党的材料是伪造的,或者说是后补的。

发现这个重大疑点后,巡视组对卢恩光的全部档案进行了更详细核查,发现了更多可疑细节。

时任中央第六巡视组副组长　陈毓江:

80年代卢恩光在山东工作的时候,那在最基层,他是民办中学教师,同时又是乡党委副书记,同时他又是乡镇企业的负责人。这三个身份能在一个人身上，这就很奇怪了。

巡视期间，卢恩光恰好是司法部党组与中央巡视组进行联络的负责人，经常要和巡视组打交道。通过观察，巡视组更感到他档案里的造假内容，应该不止入党材料一项。

时任中央第六巡视组副组长　陈毓江：

看他干部履历表，又有法学的博士后的研究经历，同时，又是管理学的博士，但是跟他接触看他言谈举止，跟他这些这么高的学历、这么高的研究能力，好像不太沾边，相反倒是觉得他在拉关系、套近乎、曲意逢迎这方面，这个能力倒是挺强的。

巡视组将发现的问题线索移交中央纪委，随着调查展开，卢恩光20多年金钱开道、造假买官之路一步步被还原。

20多年前，卢恩光在老家其实是个小有名气的私营企业主。这家现在已经半停产的工厂，当年生产的诺亚双层玻璃杯畅销全国。卢恩光脑子灵活，爱搞小发明，双层玻璃杯这个点子让他迅速攒下上亿身家。但他信奉"万般皆下品，唯有当官高"，一心只想当官，而且达到了痴狂程度。

司法部原政治部主任　卢恩光：

就是觉得干什么事儿都没有当官有身份。尤其你看，当时那个年代，不管你多大的企业老板，跟县里科局的人在一块吃饭，那企业老板都得坐在下面，都是科局的人你得让到上首去。

1992年卢恩光看到乡里有的企业老板名片上印着"公司党委书记"的头衔，深感羡慕，萌生了混入党内的念头。

司法部原政治部主任　卢恩光：

我这个入党，突击入党。我突击入党，这一开始入党目的就不纯。你入了党之后，咱们可以成立党支部，可以当这个书记，多个官衔。

如果按正常程序，从申请到入党需要一到两年时间，卢恩光嫌这太慢了。他找到时任高庙王乡党委书记的李恒军帮忙，李恒军收了卢恩光5000元钱，突击发展他入党。《入党申请书》和《入党志愿书》是1992年同时写的，同时交的，为了看起来更合理，特意把申请书时间往前倒签了两年，因此闹出了1990年就穿越到1992年邓小平南巡讲话的大笑话。

时任高庙王乡党委书记　李恒军：

申请书、志愿书填写了，就是开党委会的时候得把志愿书拿上去，有一个人介绍，最后表决通过。说实话就是连参加党委会的其他副书记、党委成员也不看，就是有一个人介绍介绍，最后通过。

混入党内后，卢恩光又通过工作经历造假混入公职人员队伍。卢恩光的企业当时挂靠在高庙王乡中学，他请托时任校长帮他出具假的民办教师履历材料，再用它申报转为公办教师，获得国家干部身份。

时任高庙王乡中学校长　张庆祥：

我这事有责任，帮助他造假，一没教过课，二没上学校上过一天班。

1993年，聊城地区出台"民营企业家挂职科技副乡长"政策，卢恩光觉得机遇来了。他通过一番又跑又送，当上了高庙王乡科技副乡长。

时任阳谷县委组织部长　姜峰：

他上办公室，给放到桌上。现金，有时候掖着烟，报纸包着，一撂那。临走他说这是我个人一点心意。

时任阳谷县县委书记　安世银：

这个放在玻璃杯里，把钱放在里边，说给你拿了几个杯子，你到那儿给我宣传宣传。

虽然科技副乡长只是个挂名虚职，但卢恩光觉得终于当官了，十分高兴。

司法部原政治部主任　卢恩光：

那时候就觉得，我已经光宗耀祖了，到我父母坟前，那真是好好地祭拜一番。谁要是再喊卢董事长、卢总，那时候心里就觉得不懂事，我都副乡长了。

很快，卢恩光又被任命为乡党委副书记，职务由虚变实，实现了仕途真正起步。1997年底，阳谷县四大班子换届，卢恩光觉得解决副县级将是关键一步，于是不惜花重金多方请托。

时任阳谷县委副书记　汪文耀：

他进入了副县级干部预备考察人选，差额，用三个考察五个，这个时候他找过我。

时任聊城地委书记　张敬涛：

一万两万三万四万，所以说你追都追不上他，放下就走。

高庙王乡、阳谷县、聊城市的多名主要领导干部放弃党性原则，在用人关口上开绿灯，卢恩光顺利当上了县政协副主席，成了副县级。但他发现人们仍然只拿他当老板，不拿他当领导，顿感失落，懊恼不已。

司法部原政治部主任　卢恩光：

没人拿我当过副县级领导干部，从心里还是把我当一个企业老板看待。我当时就在日记上写的，没有这个壳产生不了我，脱不开这个壳长不大。

卢恩光所说的"壳"就是给他带来巨额财富的企业，为谋求仕途发展，他逐步把企业转移到哥哥、侄子等人的名下，但实际上他开设的注册资本总额上亿的5家企业，直到落马都是他自己在幕后严密控制，实质上形成了集官商于一身的互利关系。

司法部原政治部主任　卢恩光：

主要原因自己还是贪，经济利益、贪心。再一个原因挣了钱拿过来之后，行贿、犯罪，买职务级别，买官。

满脑子封建官本位思想的卢恩光，制造了和企业脱离的假象后认为完成了身份转变，又开始了向上一级的"冲刺"。这一次他的目光投向了省城，开道手法仍然是大把撒钱。1999年5月，山东省政协因人设岗，增设鲁协科技开发服务中心，将卢恩光调任中心副主任。一年多后，又任命他为中心主任，成了正处级干部。

时任山东省政协办公厅主任　袁义法：

党组会上大家都同意把他调来，干这个科技开发服务中心，来为机关创收，为机关发福利创收。完成任务以后，平常上班他来不来我们不管。

党组会都认可了，组织人事部门也就抱着走过场的心态，不仅不认真把关，甚至明明发现问题也不深究。当时就发现他的档案严重不全，学历、任免文件、工资表等重要内容缺失，但工作人员只是要求卢恩光把档案补全，至于补来的材料是真是假，没人关心。

时任山东省政协办公厅人事处处长　朱星光：

真的假的，肯定是捣过来了，然后给他放进去了。档案里面这些东西是全的，上面来考察我，我没有少东西，等于我交差了就行了。

卢恩光就此有了完整的档案，他的下一个目标是进京做官。中国残联下属的华夏时报社成了他进京的第一块跳板。2001年，他安排自己的企业拿出500万元，通过其它企业捐助给报社，谎称是自己拉来的捐款，因此得以调入华夏时报社任职，成为副局级。2003年为了能顺利提任正局级，他再次拉来了1000万所谓"赞助"，其实同样是自己企业掏的。

司法部原政治部主任　卢恩光：

我当时不承认是我自己的钱，我说我给你们拉的赞助。就是为了体现自己的政绩，有能力吧。

1997年到2003年，是卢恩光仕途的高速发展期。这段时期，他一年换一岗，六年提六级，从乡到县再到省再到北京，从副科级到正局级，火箭速度的背后是金钱助推。

司法部原政治部主任　卢恩光：

这就是经商形成的一种恶习，送钱是习惯，不给人钱就觉得这个事儿好像就缺点什么似的。

虽然已经进了北京，成了正局级，但卢恩光认为报社不是党政机关，不是从政的主战场，一心想调入政法、组织、纪检等系统。为了实现目标，卢恩光把钻营升迁当作事业，把所谓的商业成功模式复制到政治生活中。

司法部原政治部主任　卢恩光：

制定了三个狠抓、两个满意，三个狠抓就是狠抓工作，狠抓领导，狠抓群众。满意就是让领导满意，让群众满意。他（领导）关注的事儿你得干好，他重视的事儿干好，再一个牵扯到大家利益的事儿你得干好。

调到司法部后，卢恩光在司法部附近租了房子，七年多时间很少回家，一门心思投机钻营。每晚回到租住房都要反思当天情况，多年来每天睡觉前默诵"知足常乐，老天厚爱，你已功成名就，睡觉"；早晨醒来再激励自己继续"奋斗"，默诵"不知足常进取，功名就在前边，努力前行"。

司法部原政治部主任　卢恩光：

每天早晨就是再困，到那个点就是周末我也不允许自己睡懒觉，你该起床了，功名就在前面。就警告自己，坚定不移地往前走，走到哪儿算哪儿。

卢恩光能调入司法部并成为副部级干部，司法部有关领导有重大责任。当年卢恩光为了经营和领导的关系花了大力气，也因此在组织选拔副部级干部时得到有关领导的多次推荐。

中央纪委纪检监察室工作人员　李源伟：

他对领导的生活可以说关心照顾得无微不至。每周都去给领导同志家里送菜、水果、各种肉食、半成品，什么书架坏了，钉钉修修补补的这种小事，全是他在搞服务。

能成为副部级甚至超出了卢恩光自己的想象，让他自己也开始觉得不踏实。巡视期间，虽然他并不知道档案正在被重点查看，但心情整天高度紧张。

司法部原政治部主任　卢恩光：

提了副部以后，中央又提出来从严治党，也觉得当了副部也未必是好事。

副部级意味着是中管干部了，也就成了中央巡视组、中央纪委都要重点监督的对象，而一个靠各种造假拼凑起来的假人，注定是经不起查的。卢恩光其实只断断续续读完了高中，随着职级不断晋升，他不断"完善"自己的学历，后来的本科、硕士、博士文凭，都是或靠买、或靠送、或靠混得来的。卢恩光年龄也造假，由1958年篡改为1965年，一下小了7岁，使得他在历次干部选拔中有了年龄优势。家庭情况也严重造假，他共有七名子女，但只填报了两名，其他五名子女均通过假手续落户在其他亲戚家。连卢恩光这个名字都不是本名，而是自己改的，恩光二字意思是"感恩父母、光宗耀祖"。

司法部原政治部主任　卢恩光：

我就在家里都不允许（孩子）他们叫爹叫爸爸，不允许，要不叫姨夫叫什么的，我说别出去，喊走了嘴。可以说你这些造假，你所获得的这些利益，一方面跟你自身这是筋骨相连，就好像戴着假面具，就是粘到脸上了，跟骨头都长一堆了，没有胆量，或者没这个智慧摘下来。

卢恩光极度扭曲的价值观，固然是导致这一切的重要原因，但更需要反思的，是他升迁路上的各级党组织。20多名不同层级的党员领导干部收受贿赂，多个相关单位党组织不仅没有监督，连基本的管理都谈不上。不少收过卢恩光好处的人后来听说他成了副部级，自己也觉得实在荒唐，但他们自己也正是这荒唐后果的酿造者之一。

时任阳谷县县委书记　安世银：

我有错误，而且有些错误很严重。叫我喊他政治部卢主任，我这脑子自己都接受不了。

时任聊城地委书记　张敬涛：

卢恩光这样的人能当副部级干部吗？但是刚才我跟你谈的这个问题，那为什么在你这个关口上，为什么没有把他卡住呢？

卢恩光虽然是个极端案例，但这如同一面镜子，照出了全面从严治党的重大意义，也反射出党内政治生活存在问题。现在，卢恩光案相关的各级党政领导干部，包括省部级干部都因管党治党失职失责被严肃追责，警示所有党员干部坚守纪律底线，保持清正廉洁，做合格共产党员。

党的十八大以来，巡视发现的大量案例表明，不正之风和腐败问题只是"表",党的观念淡漠、组织涣散、纪律松弛才是"里",根子在于理想信念动摇、宗旨意识丧失、党的领导弱化,党的建设缺失,管党治党失之于宽松软。而这些正是政治巡视关注的根本所在。

习近平总书记强调,"中央和国家机关管党治党任务艰巨,'灯下黑'现象突出。'灯下黑'是个规律,现在我们把'手电筒'倒过来照自己,把'探照灯'倒过来照自己,目的就是解决'灯下黑'问题。""巡视就是要促进查处'灯下黑',坚决把从严治党要求落实到这些领域。"

党的十八大以来,中央巡视突出党的领导,抓住党的建设,聚焦全面从严治党,深入了解领导干部履行从严治党的责任和执行党的纪律情况,抓出违纪违法问题线索,推动全面从严治党向纵深发展。

2014年11月至12月,中央第一巡视组对南航集团进行专项巡视。南航集团原党组副书记、总经理司献民,因巡视发现的问题线索被立案审查。2017年4月,司献民因受贿罪被判处有期徒刑十年零六个月。

南航集团原党组副书记、总经理　司献民:

巡视组进驻南航,说实在的,我思想压力还是比较大的。自己的一些问题,也在担心,会不会被发现。

巡视组当时首先接到的反映,是南航集团公款打高尔夫球成风,一个重要原因就是司献民爱打高尔夫球。有意思的是,巡视组和司献民本人谈话时,司献民也主动谈到南航集团存在公款打高尔夫球现象，还承认自己也打过。他表示南航已经进行了自查，发现下属的珠海翔翼公司问题比较突出，将会进行处理。

南航集团原党组副书记、总经理　司献民：

我跟巡视组当时的组长也主动报告了，我说我打球。我们把审计报告，对珠海（翔翼公司）审计的情况直接交给了巡视组。回过头来看，采取的方式方法，其实是弄巧成拙。

司献民主动托出这些问题，是设计的一种策略。他一听说巡视组要来南航，马上安排进行了内部审计，想抢在巡视之前掩盖问题。

南航集团原党组副书记、总经理　司献民：

中央巡视组来巡视之前，我们自己到底还有哪些问题，有没有些重大问题。希望有问题早点把它处理了，早点把它解决了，主要是出于这个目的。

审计发现，珠海翔翼公司2013年到2014年公款打高尔夫球花了上百万元。司献民知道这是中央明令禁止的，他也清楚这笔钱里不少和自己有关。

珠海翔翼公司原董事长　刘纤：

每次打球基本都拉着我，我就是头号马仔了，就是陪着。到哪里哪里去打球，然后我就去负责安排。

翔翼公司是一家合资公司，司献民想到了一个办法，他向合资的外方公司提出，由他们来出这笔钱，把账做平。

南航集团原党组副书记、总经理　司献民：

那个时候就是想把它抹平。因为这个公司它一直希望和南航有一个长期的合作。作为南航方面提出这个问题，对方也比较痛快地就接受了。

为了蒙混过关，司献民又决定把部分问题主动报告，只不过报告的内容避重就轻。但是，司献民的计划没能如愿以偿。

时任中央第一巡视组副组长　刘实：

普遍反映他打球，而且中层干部谈话都说他了，不是一个人说他，肯定是丢卒保车，弄出来糊弄中央，来应付。

巡视组不但没有停止对这一问题的关注，还专门派人到珠海、广州各大球场深入了解，发现普遍有南航的党员领导干部来打球并办有会员卡，也掌握了司献民本人多次公款打球的线索。巡视组还了解到，司献民在对外公务接待和私人宴请中，多次安排乘务员参与违规接待，八项规定出台之后仍不收敛，不少乘务员对此相当反感。在巡视组看来，司献民的这些问题可不是小问题，如果"一把手"带头奢靡腐化，就会带坏整个公司的风气，他自然也不可能去落实管党治党责任，真正抓正风反腐。

时任中央第一巡视组副组长　刘实：

南航是每过五年差不多就出一起严重的腐败案，党的领导弱化，党的建设缺失，从严治党不力，根本的原因就这个。一本党章管全党，所有的党员，所有的党组织都得尊崇它、执行它，企业也不能特殊。这就是讲政治，政治巡视就是要解决这个问题。

巡视结束后,在巡视反馈意见中明确指出,南航集团落实"两个责任"不到位,监督管理失之于宽松软,在营销、采购、维修、工程建设、财务管理、干部选拔等多方面存在腐败多发、利益输送等严重问题。反馈还明确要求对主要领导打高尔夫球的问题进行纠正查处,但司献民并没有真正自我反思,只是象征性地处分了一名下属来应付。

珠海翔翼公司原董事长　刘纤:

找我谈话,让我背,那个意思就是困难当前,考验你的时候到了,别让大家都挨处分,牺牲我就行了。

这种应付式整改,让巡视组更感到司献民自身问题并没有见底。巡视组将发现的司献民和其他党员领导干部的问题线索移交给了纪检机关,四名高管在巡视后一周内相继被查。2015年11月,司献民本人也接受组织审查。南航被处理的党员领导干部达20多人,出现这样的系列腐败案,司献民难辞其咎。

南航集团原党组副书记、总经理　司献民:

党风廉政建设,前些年没有把它当成一项硬指标、硬任务,给我们党也带来了严重的损失和极坏的影响,我说这也是自己到今天,我应该付出的一种代价,也是必须付出的一种代价。

党的十八大以来,巡视55家央企发现的共性问题,归纳起来就是党的观念淡漠、组织涣散、纪律松弛。有的片面强调企业特殊性,把国企置于党章规定之外;有的"三重一大"事项不经党委会集体讨论审议,主要负责人说了算;有的拿国有资产做交易，或贪图经济利益，或拉帮结伙谋求个人升迁；等等，方方面面表现出来的问题，透过现象看本质，都是党的领导不力，没有发挥领导核心作用。

2015年11月23日，习近平总书记在中央政治局会议听取《关于巡视55家国有重要骨干企业有关情况的专题报告》时指出："国企不仅是党执政的重要经济基础，而且也是党执政的政治基础。加强党对国企的领导是重大政治原则，全面从严治党、加强党的建设在国企没有特殊、没有例外，只能加强、不能削弱。"他强调，要牢牢把握巡视政治定位，聚焦全面从严治党，形成震慑、倒逼改革、促进发展。用好巡视这把利剑，首先是"止血"、遏制，进而治本，标本兼治。

党的十八大以来，巡视工作在坚持中深化，在深化中坚持，已经经历了三次理论和实践的深化。

中央纪委秘书长、中央巡视工作领导小组成员　杨晓超：

十八届中央巡视从一开始就聚焦党风廉政建设和反腐败斗争这个中心，围绕"四个着力"，把发现问题、形成震慑作为主要任务。党的十八届三中、四中全会以后，突出把纪律挺在前面，纪在法前、纪严于法，从而强化了遏制的作用。党的十八届六中全会对全面从严治党作出了再动员、再部署，我们与时俱进深化了政治巡视，聚焦坚持党的领导，加强党的建设，全面从严治党，突出严肃党内政治生活、净化党内政治生态，从而抓住了根本性、方向性、全局性的问题，有力促进了管党治党迈向标本兼治。

2016年6月29日,中央第三巡视组进驻天津市开展巡视"回头看"。时任天津市委代理书记、市长黄兴国早早在门外等候巡视组到来。他并没有想到,这次回马枪挑落的对象竟然包括自己。

天津市委原代理书记、市长　黄兴国:

一点思想准备都没有。当时我的考虑可能是这个,因为我这个代理书记已经代理了一年零七个月,到年底就两年了,当时可能在政治上做一次"回头看",检查一下。过了X光,是好的,那你就从代理书记转为正式的市委书记了。

巡视是严肃的政治体检,黄兴国却把它想象成和个人升迁有关,这个细节或许已经说明,他注定通不过这次体检。党的十八大以来,巡视工作内容不包括推荐干部,而是直奔问题而去。

时任中央第三巡视组正局级巡视专员　王新光:

中央安排去这些地方进行"回头看"是有针对性的,既要关注老问题整改处理的情况,同时也注意发现新的问题。代理书记作为"一把手",是不是真正履行了全面从严治党或者管党治党的这个责任,这些是中央特别关注的。

2014年中央巡视组第一次巡视天津,发现了杨栋梁、武长顺及其他干部的问题线索,在随后对他们调查处理的过程中,也发现了一批新的问题线索,其中就涉及黄兴国。经过在天津两个月的"回头看",最终发现,不论是天津的政治生态,还是黄兴国本人,存在的问题都是严重的。

时任中央第三巡视组正局级巡视专员　王新光：

组长跟他进行谈话的时候，他对于自己如何和中央坚定地保持一致，如何自觉维护中央的集中统一领导，涉及到本人廉洁方面的问题，包装或者美化自己，因为实际的情况跟他自己所介绍的情况恰恰相反。

这些展柜里的物品，是黄兴国曾将一些收到的不太贵重的礼品登记上交，展出以示廉洁。而这些则是组织审查时没收的黄兴国受贿所得的部分款物，2014年，黄兴国将这些贵重物品转移到外地的亲戚家中保存。巡视中，发现了不少黄兴国和商人权钱交易、纵容亲属利用自己职权牟利的问题线索，后来经调查都属实。黄兴国平时给人以严谨清廉的印象，背后却政治上蜕变、经济上贪婪、生活上腐化，与经济问题相比，更为突出的是政治问题。

时任中央第三巡视组正局级巡视专员　王新光：

黄兴国的问题首先是政治问题，对中央的大政方针和决策部署阳奉阴违，第二个是对中央的一些重大决策部署打折扣、搞变通，第三就是放弃管党治党的责任，纵容甚至直接参与所谓圈子文化、码头文化、老乡文化，为了个人的升迁，接天线，拜码头，找靠山。

巡视组在和天津有关领导干部谈话时，听说了一个信息，曾任天津市委常委、副市长的杨栋梁落马后，有一个政治骗子被牵连出来，有关部门已将他拘捕。听说除了杨栋梁，还有多名干部也曾经和他交往，巡视组感到有必要去和这个骗子谈一谈。

涉案人　荆毅：

跟黄兴国俩人就是2008年认识的。我觉得跟领导认识了，好多事都方便。就是万一自己有什么私事，有什么这个事那个事的，需要解决的不就是方便点嘛。

荆毅是天津市河西区一个普通居民，他把自己包装成一个有来头的神秘人物，竟然顺利打入了天津的官场圈子，被众多高官奉为座上宾。黄兴国和荆毅保持了好几年往来，到2013年，一件事让黄兴国产生了怀疑。

天津市委原代理书记、市长　黄兴国：

后来有一次他就讲，他说上面的领导对你印象挺好的，可能你很快就要当市委书记了。那个时候我们市委书记刚刚到天津来，时间不长。我感到这个话里面就有问题了。

黄兴国让相关部门暗地里对荆毅进行了调查，发现了他的真实身份。但黄兴国没有向组织报告，甚至装作全不知情，偶尔还和荆毅见见面。

天津市委原代理书记、市长　黄兴国：

轻信这些人，还跟他保持一种交往，政治上太不清醒了。而且后来，我知道他的这种骗子的可能性的时候，那我又没有向组织报告，这个就政治上有严重问题了。

当主要领导自己就热衷于找升迁捷径，对整个天津市干部队伍风气、政治生态带来的影响是显而易见的。在天津深入了解中，巡视组发现了种种怪现象。

时任中央第三巡视组正局级巡视专员　王新光：

黄兴国、武长顺、杨栋梁、尹海林这些（干部），他们都围着一些特定的老板在活动。为什么呢，就是为了个人的升迁，这些老板至少是被他们认为是一些通天的人物。

黄兴国的为官之路是从基层起步，历任浙江象山县委书记、台州地委书记、宁波市委书记等，也曾经凭能力和实干得到组织的信任重用。2003年他调任天津后，对自身利益的考虑越来越重，对于看到的不良现象、腐败问题，他开始秉持好人主义，尽量不得罪。

天津市委原代理书记、市长　黄兴国：

主观上想融入这个地方，搞好关系。你譬如说像武长顺这么一个严重的问题，那我们不是说一点感觉都没有。在中央第一次巡视来的时候，我也没有反映他的问题，而且他当政协副主席的时候，市政协副主席的时候，我也投了赞成票。

2014年12月，黄兴国被任命为天津市委代理书记，从那时开始，什么时候能够去掉代理二字，就成了他最关心的事。因为想早日当上市委书记，黄兴国不仅结交过所谓的"红顶商人"、相信过骗子，还问过风水。天津市政府大院原本四个门都可以进出，近几年，西北门却被封上了。这么做是风水先生给黄兴国的建议。

天津市委原代理书记、市长　黄兴国：

市委市政府的院子，他（风水先生）说东门、西门、北门、南门，他说你这个门开那么多，漏气、不聚气。

天津迎宾馆门前的这块景观石背后也有故事。这里原本摆放的是另一块景观石，两年前忽然换成了现在这块，也是黄兴国迷信风水的结果。

天津市委原代理书记、市长　黄兴国：

那个是尖的，有点儿凶的感觉，后来就搞了一块比较圆滑的放上去。最根本的问题是理想信念动摇，党性原则失去。

当对个人升迁过度关注，其实就已经远离了初心。在忏悔录中，黄兴国写道："我长期以来不守规矩犯法纪，不分政商闯雷区，污染了政治生态，搞坏了党内风气，我的失败是注定的，落马是肯定的，查究是必然的。"

天津市委原代理书记、市长　黄兴国：

有些事情回想起来，还是挺后悔的。走路要走好，走在路中央，（走）路边要掉到沟里去，自己爬不上来的。

2016年9月10日，黄兴国接受组织审查。党的十八大以来，天津还有市政协原副主席、公安局长武长顺，原常务副市长杨栋梁、原副市长尹海林相继落马，厅局级干部有50多名被查，天津16个区均有区级领导干部落马。

时任中央第三巡视组正局级巡视专员　王新光：

黄兴国作为第一责任人，严重失职失责，那么导致党内政治生活极不正常，破坏一个地方的政治生态，这都是很严重的问题，都是属于政治巡视当中关注的重中之重。

2017年2月，天津市委明确28项工作任务，将坚决肃清黄兴国恶劣影响、净化和维护政治生态，作为落实中央巡视

"回头看"反馈意见的治本之举。

一轮轮巡视发现的所有问题，归根结底都是党的领导弱化，党的建设缺失，全面从严治党不力，是党内政治生活不严肃、不健康造成的。如果问题得不到有效解决，任其发展，就会失去民心这个党执政的政治基础。

习近平总书记：

严肃党内政治生活是全面从严治党的基础。党要管党，首先要从党内政治生活管起；从严治党，首先要从党内政治生活严起。

党要管党，从严治党。深化政治巡视，必须从严肃党内政治生活出发，用"四个意识"去衡量，检查中央决策部署是否落到实处，坚决维护党中央权威，维护好政治生态，推动全面从严治党向纵深发展。

第三集

震慑常在

第三集《震慑常在》完整视频

从十八届中央第九轮巡视开始，出现了一个广受关注的新词：回头看。一些十八大以来已经接受过巡视的省区市，要再一次迎来中央巡视组的巡视。目前，已经对北京、天津、重庆、辽宁等16个省区市杀出了回马枪。

"回头看"是十八届中央巡视的重大制度创新。2013年，习近平总书记就首次提出了巡视回头看的设想。2014年10月，习近平总书记在听取巡视汇报时明确指出："巡视过的31个省区市，不是一巡视了就完事，要出其不意，杀个回马枪，让心存侥幸的感到震慑常在。"2015年2月，习近平总书记再次强调："要对省区市开展'回头看'，特别是对那些整改不力、查案不够、震慑不大的地区，要优先安排，决不能让他们觉得巡视是'一阵风'。"

习近平总书记：

要经常杀个回马枪，只要过去的问题没有见底，没有彻底解决的，还是要杀回马枪。

巡视回头看实际上就是再巡视，它释放出了不是巡视一次就万事大吉的信号，彰显的是党内监督的严肃性与韧劲。一些第一次巡视后本以为侥幸过关的腐败分子被回马枪挑落马下。

甘肃省委原常委、副省长　虞海燕：

现在想想，确实当时做的选择都是愚蠢的选择。还是有侥幸心理，我觉得能躲过去，不是也挺好的吗。

虞海燕，甘肃省委原常委、副省长。2016年11月至2017年1月，中央第三巡视组对甘肃开展巡视"回头看"，巡视结束后第五天，虞海燕被中央纪委带走审查。他的落马背后有着漫长的较量，这要从2014年中央巡视组第一次巡视甘肃说起。

时任中央第三巡视组工作人员　张立平：

第一轮巡视的时候，对虞海燕问题的反映就比较集中，比如他的亲属利用其职务影响经商，谋取私利，巡视组已经发现了虞海燕违规，将国有企业大额资金外借等问题。

2014年第一次巡视时，虞海燕是甘肃省委常委、兰州市委书记。此前他曾经担任酒泉钢铁集团的"一把手"，巡视组接到了不少对他在酒钢任职期间的问题举报，巡视结束后，中央纪委对巡视移交问题线索展开调查。虞海燕听到风声后高度紧张，曾给他担任秘书多年的金晋哲，还非常清楚地记得他当时的状态。

兰州市委原副秘书长　金晋哲：

他是恐惧的，从2014年巡视结束了之后，10月份把他一个关联人抓了之后，他晚上都靠安眠药才能入睡。他还是非常担心的，所以他就想方设法地去接触这些纪检干部，去拉拢腐蚀这些人。

虞海燕从很早就开始有计划地拉拢纪检干部，目的就是一旦出现问题时能派上用场。早在2010年，虞海燕就想办法接触上了中央纪委第九纪检监察室的原副主任明玉清。明玉清也有私心，想利用虞海燕的权力，为经商的儿子在甘肃拉项目，两人一拍即合。2014年巡视之后，明玉清不仅把中央纪委的调查内容向虞海燕通风报信，甚至最终胆大妄为地帮助虞海燕抹平问题，将他的线索作了了结处理。

中央纪委第九纪检监察室原副主任　明玉清：

虞海燕的线索，当时是很具体的，因为虞海燕（和我）这么熟了，后头虞海燕跟金晋哲又帮着我儿子他们在做这些事儿，这就是为什么虞海燕的线索后期成了，由初步核实，后来改为函询，最后了结。

当明玉清告知虞海燕问题已经了结，虞海燕如释重负。他并没有想到，中央巡视组会再一次来甘肃，并很快将他确定为重点关注对象。

时任中央第三巡视组工作人员　张立平：

进驻一周后，我们就已经把虞海燕作为重点关注对象了。

虞海燕认为已经平安着陆，感到有恃无恐，各种违纪违法行为变本加厉。正因为如此，第一次巡视之后，纪检机关仍然不断收到关于他的举报，而且又多了不少新问题。巡视回头看进驻甘肃后，也迅速接到了不少相关反映。

时任中央第三巡视组工作人员　张立平：

对虞海燕反映比较强烈的是他任兰州市委书记期间违规用人，打造"酒钢号"干部队伍。

"酒钢号"是一趟从酒泉钢铁公司开往兰州的列车，这个词在虞海燕担任兰州市委书记期间，增添了另外的含义。虞海燕把大量酒钢公司的亲信调到兰州市核心部门、核心岗位任职。跟随虞海燕从酒钢走进兰州，就等于坐上了提拔的高速列车，人们因此戏称他们搭上了"酒钢号"。

兰州市委原副秘书长　金晋哲：

这些人都是经过很长时间他检验过的。他指到哪儿，就打到哪儿的人，虞海燕给这些人升官，这些人去为虞海燕谋取一些利益。

党中央多次强调，在党内绝不允许搞团团伙伙、结党营私、拉帮结派，这也是政治巡视重点关注的问题之一。巡视组就此展开了深入了解，发现兰州的干部群众对此反映非常强烈。不少人反映，除了"酒钢号"，虞海燕还整合设立了一个叫市委市政府督查室的部门，先后选调141名青年干部进入督查室"锻炼"，提拔使用其中76人到重要岗位工作。虞海燕让亲信金晋哲主管督查室，经常通过"培训"向这些青年干部灌输效忠观念，培植个人势力。

兰州市委原副秘书长　金晋哲：

在督查室，在大会小会上我不断在强调，要听市委的话，谁能代表市委，那就是书记能代表市委，大家能到这儿来，都是书记亲自关心的，明天能提拔也是书记要认可的。提拔重用年轻人的标准首先就是要听话，这也是虞海燕多次反复强调的。

虞海燕把督查室变成只对他个人效忠的机构，然后再利用这个机构，去给他认为不听话的人施加压力。

兰州市委原副秘书长　金晋哲：

他的一个比较亲近的老板想在哪一个区干一个事儿，这个事儿他交代下去，但是这个区可能落实不力。他记住这个事儿，这个人不太听这个话。然后就找一个合适的机会，去对他们进行督查。除了督查部门还有审计部门，当时的审计局长也是他调过来的，他也会用审计的这个方式。

选人用人问题历来是巡视要关注的重点问题，巡视组就此进行深入核查，掌握了大量证据。

时任中央第三巡视组工作人员　张立平：

我们就是调阅了他提拔使用的这些干部的档案，把那个干部任免表，对照着问题线索的反映去核查，发现有大量的干部提拔使用不符合条件。

巡视组还接到反映，市委市政府定点接待场所金城山庄的3号楼，长期被虞海燕占用，这一线索后来也查证属实。虞海燕授意对3号楼进行了豪华装修改造，作为他和一些关系密切的下属和老板们吃喝聚会的秘密据点。为了保证这里的私密性，虞海燕严密设防。

中央纪委纪检监察室工作人员　李如军：

因为他自己做贼心虚，在这个过程中他就是利用他比较熟悉的公安干部队伍里搞技侦的人，专业人员，然后给他在里边拿着技侦设施，到里边去检测，包括他的家里也是，他安排了一个公安的技侦队伍给他到他家里去检测，有没有人对他进行监听。

在巡视"回头看"期间，虞海燕自然心神不宁，而另一件事则加剧了他的担心。就在巡视回头看进驻甘肃的前一周，曾经帮助虞海燕抹平问题的明玉清被中央纪委立案审查，虞海燕很自然地把他的落马和自己联系了起来。

甘肃省委原常委、副省长　虞海燕：

老明是当年办了我这个案子的这个人，那他出事，那就意味着我们要出问题了。

但到此时，虞海燕还抱有侥幸心理。就在"回头看"期间，甘肃省委换届考察，虞海燕平级转任重要岗位，成为甘肃省委常委，常务副省长，这又让他觉得自己或许多虑了。这几件事本不相关，虞海燕却来回揣摩猜测。

甘肃省委原常委、副省长　虞海燕：

我又觉得可能跟我有关系，又觉得可能跟我关系不大。做贼心虚，你不是一个正常的（心态）。咱说实话，你考试，你正常的考试，你都慌得很，那你何况你这是个不正常的事情，那你不更慌吗。

忐忑之中，虞海燕决定做好能做的一切掩盖工作。他安排自己在各部门的亲信，想方设法打探巡视"回头看"动向，同时着手转移家中的贵重物品，联系和自己有利益往来的多名老板，商量对策，统一口径。

中央纪委纪检监察室工作人员　李如军：

做了好多对抗行为，有的甚至让人觉得匪夷所思的行为。他把他家里跟相关老板的合影都剪碎了之后往马桶里冲，冲的时候把他家马桶都给堵了。他的妻子交代，在巡视期间，他家的桌子上摆了有一排手机，一个老板一个专号。

和老板们商定口径后，虞海燕又把这些手机用醋浸泡后扔进黄河。

甘肃省委原常委、副省长　虞海燕：

我自己想那个醋它能腐蚀得快一点。因为有的手机，它现在封闭得很好，扔到黄河里去，万一人家捞出来了。

那段时间虞海燕经常到黄河边散步，他扔到黄河里的除了手机，还有砸碎的名贵手表等不少物品。但是，他多年来违纪违法留下的各种痕迹，是无法一一销毁的。随着回头看的进行，虞海燕的严重问题越来越清晰地浮出水面。

中央纪委纪检监察室工作人员　李如军：

虞海燕这个人政治问题与经济问题交织，他掌握这种资源之后，这种行政权力还有干部选拔任用权之后，大量培植自己的亲信，为他自己还有相关的老板谋取私利，政商勾结、内外串通。

巡视组工作不断取得进展的同时，中央纪委对明玉清的审查也有了突破，明玉清说出了和虞海燕的交往。因此，巡视期间纪检监察机关就启动了调查，很快先对金晋哲采取了措施。

到这时候，虞海燕明白大势已去，但他仍不准备放弃对抗。他找到当地一名自称在中纪委工作过的退休警察，叫上妻子一起去"培训"，演练如何对抗调查。

甘肃省委原常委、副省长　虞海燕：

他自己自称是中纪委的人，我把我爱人叫去，跟他（见面）实际上是叫他培训一下，看看就是以后如果人家要调查，看她怎么说。后来人家专案组调查完以后，跟我说这个人就是你们兰州市公安局退休的干部，我听了以后，我都觉得丢人。

虞海燕明白自己想外逃已经不可能，他转而通知多名老板外逃，认为这样可以让一些问题查无对证，但实际效果却和他期望的正好相反。

甘肃省委原常委、副省长　虞海燕：

我就觉得（自己）愚蠢。你说你让这些老板跑，不是谁跑至少就露馅了吗，当时可能人家还不知道这个人重要，他一跑，行了，这个人重要，人家就知道了。

2017年1月11日，虞海燕被组织审查。几年来他机关算尽，最终都毫无意义。甘肃因这次"回头看"而落马的，不只是虞海燕。中央巡视组还发现了时任甘肃省委书记王三运的违纪问题线索，2017年7月11日，刚刚调职全国人大的王三运也被正式立案审查。

时任中央第三巡视组工作人员　张立平：

来信和谈话反映王三运及其亲属与在甘肃有投资项目的私营企业老板走得比较近，比如他的外甥就承揽了酒钢和兰州新区的一部分工程项目建设。

巡视发现的问题线索，移交后经纪检机关调查均属实。王三运纵容甚至授意亲属在甘肃承揽工程以权谋私，还为多名老板办事，收受钱财、房产以及玉石、字画等贵重物品，涉嫌受贿犯罪且金额巨大。

甘肃省委原书记　王三运：

我儿子和我那两个外甥，他们到甘肃来搞什么业务，搞什么承揽工程。我那两个外甥，他们因为对我们家里面都有很大帮助，经常给我们出钱装修房子，还给我们在贵阳买房子，这样实际上就把这个关系搞成一个相互利用的关系了。

王三运先后担任过贵州、四川、安徽、福建四省的省委副书记，不少在这些地区和他就联系密切的老板，在他任职甘肃省委书记后随即来甘肃发展，王三运也利用职权为他们在获取项目、通过审批等事项上提供帮助。

甘肃省委原书记　王三运：

他们到甘肃来投资以后，也故意在炫耀跟我的关系好到什么程度，大家都知道，这些人来自何方，跟我熟不熟悉，一看就知道，他们即便不找我，他们在那儿去找别的人，实际上也是利用我的影响，这样变着一些花样想办法塞私货把这些问题解决。

王三运到甘肃任职后，感到仕途不会再进一步了，开始把全部心思用在为退休后打算，贪腐行为变本加厉，达到高峰。

中央纪委纪检监察室工作人员　顾桧：

近乎疯狂地敛财，在各地都置办了大量的房产，以收受房子或者购房款的形式获取了大量的非法利益。

中央巡视组对甘肃"回头看",王三运担心问题被发现,让亲戚从贵州等地赶来,帮忙四处藏匿、转移财物,并和相关人统一口径,把老板们出的购房款对外说成是"借款",还订立假合同进行伪装。

甘肃省委原书记　王三运:

凭你的合法收入,你也买不起这个房子。所以就按照我事先跟他们说好的,用那种所谓"借款"的方式搞一个什么假合同,想规避组织审查。

自身有贪腐问题,在工作中必然不敢去动真碰硬,导致中央一些重大决策部署在甘肃得不到落实,造成严重后果。祁连山生态保护问题就是一个典型的例子,王三运消极应付中央指示,不作为不落实,对祁连山的生态环境破坏负有重大责任。

祁连山国家级自然保护区是中国西部重要的生态屏障,它涵养的水源是甘肃、内蒙古、青海部分地区500多万百姓赖以生存的生命线。然而,多年来这里的违规开发活动触目惊心,到2017年2月,保护区内有144宗探采矿项目,建有42座水电站,其中不少存在违规审批、未批先建,导致局部生态环境遭到严重破坏。习近平总书记2014年到2016年多次对此作出重要批示,然而甘肃省并没有真正落实。2016年底中央巡视组进驻甘肃开展巡视回头看,发现王三运作为省委书记,对祁连山环境问题不重视、不作为。

时任中央第三巡视组工作人员　张立平：

巡视回头看前，武威荣华公司向祁连山保护区的排污问题被新闻媒体曝光了，我们把这个也作为巡视回头看重点了解的问题进行了重点关注，发现他抓整改不坚决，也不到位，仅仅就处理了当地环保部门的一个副科级干部就了事了。

监管严重缺失，是生态环境持续恶化的重要原因。中央领导同志作出一系列重要批示后，王三运表面上摆了姿态走了形式，但其实并没有真正到问题严重的地区去调查研究，也没有认真督促相关部门抓好整改落实，更没有对相关领导干部进行严肃问责。

甘肃省委原书记　王三运：

对形式表面的东西，反正该作的批示我也批了，该开的会我开了，至于下面落实不落实，能不能够很好地落实，也没有加强对各方面的引导和督促。

调查发现，监管缺失的原因不仅是责任落实不到位，还涉及利益输送，不少层级的官员和企业之间有千丝万缕的利益关联，王三运也牵涉其中，导致对中央决策阳奉阴违。

甘肃省委原书记　王三运：

在廉洁问题上要真正把好关，要真正过得硬，有了这个过得硬开展其他工作才能够顺利开展，本来就感觉到这方面不太清爽，让人家说起来你还说我们，查我们，你自己都不清爽。

2017年7月，中央办公厅、国务院办公厅就祁连山保护区生态环境问题发出通报，对相关责任单位和责任人进行严肃问责。

王三运和虞海燕在"回头看"中的落马，凸显了"回头看"的利剑作用，对心存侥幸者形成强大震慑。

在忏悔录中，王三运写道："中央对我进行组织审查是完全正确的，自己落得如此下场绝非突然、而是必然，我心服口服、认错认罪。虽然我现在悔恨交加、痛不欲生，但也深知错已铸成、为时已晚。"

"回头看"就是政治复查，是与时俱进的新巡视、围绕政治的再巡视。既盯紧老问题，检查整改落实情况，更注重发现新问题，对没有见底的问题再了解，紧盯党内政治生活，延伸放大震慑效果。"回马枪"发现了黄兴国、王珉等违纪违法问题线索，释放出"巡视不是一阵风"的强烈信号。

习近平总书记指出："'回头看'体现党内监督的严肃性。三十一个省区市此前都巡视了一遍，现在出其不意杀个'回马枪'，实践证明很有必要。巡视就是发现问题，我们不是导演巡视工作，搞'假把式'。只有发现问题才有意义，才能解决问题，才有震慑力。'回头看'发现问题不少。"

中央巡视组巡视专员（正部长级）　徐令义：

回头看它有一整套的工作的要求和标准去衡量、去检验这个地方的整改。所以这两个月是集中发现问题的两个月，也是看地方整改效果的两个月，也是深度挖掘这个地方的政治生态的两个月。

党的十八大以来，巡视工作不断推进组织制度和方式方法创新。习近平总书记多次强调:"要抓好工作创新,在总结经验的基础上,适应形势发展,推动巡视内容、方式方法、制度建设等方面与时俱进,完善工作机制,增强巡视工作的针对性、实效性。"十八届中央巡视从一开始就打破既有模式,进行了多项改革创新。

从2013年第一轮巡视开始,就探索实行"三个不固定",不再是固定人员长期固定巡视某个地方或领域,而是巡视组长、巡视对象、巡视组与巡视对象关系不固定,巡视组长实行"一次一授权"。十八届中央历次巡视,都是到了动员部署会上,才公布巡视组长授权任职及任务分工的决定。

之所以巡视组能在短短一两个月内,在全然陌生的环境和对象中找准问题,科学的程序设计和组织制度、方式方法的不断创新发挥了很大作用。从开展专项巡视、实行一托二、探索机动式巡视,到广泛谈话、核查个人事项报告、下沉一级了解情况等,一轮轮巡视下来,提炼出了多项有效管用的制度和方法,一些隐藏伪装很深的违纪违法问题,也在巡视中被发现。

安徽省原副省长　杨振超:

(我是)侥幸心理,有的时候还有一点自以为是,违规违法这些事情,心想也能蒙混过关。

杨振超,安徽省原副省长,2016年中央第五巡视组对安徽省开展巡视"回头看"时发现了他的问题线索。因这次巡视而落马的不止杨振超,另一名安徽省副省长陈树隆也被立案审查。

安徽省原副省长　陈树隆：

我当时应该说有担忧，但是担忧不是太大，主要是觉得一些操作不会被发现。

杨振超和陈树隆的案情并无交集，但却有许多相似之处。他们谋取私利都是以非常隐蔽的方式进行，也都采用了大量手段防范调查。

陈树隆主要是通过股票证券市场牟利，这和他的专业出身有关。陈树隆毕业于安徽财贸学院，到党政机关任职前，多年在安徽的国有金融证券企业担任"一把手"，对这个领域非常熟悉。

中央纪委纪检监察室工作人员　张元星：

有人吹捧他为安徽的股神，他利用自己熟悉股票、期货交易的专长以及在金融行业积累的人脉资源作案的特点十分明显。他表面上打着招商引资、金融创新，打着这些幌子，然后给他选中的一些上市的公司或者私营企业大量的政策优惠、财政扶持，在背后利用职权购买原始股、炒作股票，这样来获取暴利。

陈树隆之所以能获得巨额利润，并非由于他真的是股市奇才，而是更多得益于权力。他投入股市的第一桶金，就是通过权钱交易得来的。1994年到1998年，陈树隆担任安徽国债服务中心主任期间，利用职权为私营企业主施永炒作期货、拆借资金提供帮助，为对方带来了巨大利益，然后向对方索取回报。

私企老板、涉案人员　施永：

他就说准备让他弟弟炒股，能不能借点钱过去，借个一千多万这样。我就说干脆送你算了，就是这样。

陈树隆用这笔钱投入股市以钱生钱，他能大获成功的主要秘诀还是借助权力。例如他担任芜湖市委书记期间，在推动芜湖市某国有企业资产重组过程中，就违规购买大量股票，获利数千万元。

安徽省原副省长　陈树隆：

权力应该是起着非常重要的作用，因为有权了这些信息自然不自然地就泄露到你这边来了。

完成原始积累后，陈树隆回过头来想要掩盖当初收受施永1300万元的痕迹。他想到了一个一举两得的办法，既可以伪装还了钱，还可以将大量资产转移到境外。

安徽省原副省长　陈树隆：

当时香港的这个股市行情比较好，另外香港也比较隐蔽，而且也不容易被发现，所以我就把这1300万本金还给他，同时还按照年息8%复利计算，还了2600万，这样这个2600万就兑换成港币，让施永在香港帮我炒作港股。实际上是假还款的形式，把资金洗白，转到香港去炒港股。

这笔钱挂在施永账户上，所有权属于陈树隆，陈树隆的弟弟、侄女多年帮他担任操盘手，他自己藏身幕后指挥下单。除了炒股，他还为一些企业老板办事，然后以亲戚的名义入股这些老板的项目，从中分红。

私企老板、涉案人员　吴道荣：

涉及到一些审批，对他来说是举手之劳，对我们来说要用金钱来衡量，我认为至少有几百万的帮助应该是有的。他说这些事情老吴你不用客气，一些股份跟投资的事情你就找我弟弟就行了。我心知肚明就行了，不用点破了这些事。

在这一点上，杨振超和陈树隆高度相似。杨振超任职淮南市委书记期间，主持山南新区的开发工作，他授意内弟"招商引资"拉来企业开发房地产，然后利用职权为这些企业顺利获得土地、政策支持等事项提供帮助。这些企业则给杨振超内弟大量干股作为回报，内弟自然要将部分获利"转交"杨振超。

安徽省原副省长　杨振超：

（内弟）给我夫人两张卡，一张卡的名字是他自己的名字，一张卡是我岳母的名字。招商引资，内弟也就打着我的旗子，实际上也就是靠这个东西。这些企业是想在我身上要投入产出的。

杨振超也和陈树隆一样多方掩盖非法所得。他曾经为一个老板办事后，向对方索要一套上海的房产，由他占有使用，产权却放在老板名下。巡视之后，出于担心杨振超又找这名老板补签了虚假的租房合同，这套位于上海黄金地段价值1800万的房产，象征性地按每月4000元补了租金，试图以这种方式掩盖事实。

私企老板、涉案人员　汪明来：

我讲干脆我买个房子给你算了，他就告诉我，我只要你们租一个房子给我就行了，不需要你买房子，但这时候我就知道，因为他又想要又怕，被调查的时候他叫他家属去跟我签一个协议。他也讲了，别人问就讲租的。

基于这些伪装，杨振超和陈树隆都自认为能平安过关；但他们的问题，却最终在中央巡视组的深入了解中暴露了出来。

巡视组每进驻一地，首先和党员干部广泛谈话，同时接收大量群众来电来信来访。这些形式看似平常，其实却很重要。通过谈话和信访获取的信息会成为巡视组梳理研判的基础，帮助准确地锁定重点人、重点事、重点问题。

时任中央第五巡视组组长　桑竹梅：

我们这个巡视呢，也可以说也是一场人民战争。确实我们每到一个地方巡视，不管这个地方有多大，实际上大家彼此还是比较了解的，至少他（们）有一种传闻。首先是发动群众，总会有人反映，因为大家认同这个巡视。

杨振超和陈树隆问题反映比较集中，被列为重点关注人。巡视组随即决定采取"下沉一级"的方法，到他们曾经担任"一把手"的地市去了解情况。深入基层、深入了解领导干部的过去，往往能够获取更客观的评价和有价值的信息。

时任中央第五巡视组组长　桑竹梅：

杨振超是在淮南任过主要领导职务，陈树隆是在芜湖任过主要领导职务，所以我们在下沉一级的时候就重点地了解他们在任的时候，是否存在着党风廉政建设这些问题。

为了不引起注意，巡视组不只去了淮南和芜湖，而是把安徽16个地市全部走了一遍。

时任中央第五巡视组正局级巡视专员、联络员　任爱军：

为什么要全部走一遍呢？有些人他当时在琢磨，是不是上他那去了就有问题，没到他那去就没有问题，所以我全覆盖，我全都去。

杨振超、陈树隆的许多违纪违法行为，正是发生在担任地级市"一把手"期间，"下沉一级"的方法，抓准了问题的突破口。

时任中央第五巡视组正局级巡视专员、联络员　任爱军：

有一个同志，他当时正在出差，听了巡视组给他打电话以后说要谈话，他说好，你们不找我，我还想找你们。连夜开车返回到安徽，提供了一个非常有价值的信息。

询问一些在押的知情人，也是巡视的方法之一。杨振超的问题就是通过这一方法有了重大发现。在淮南，巡视组听说曾经和杨振超搭班子的市长曹勇正被立案审查，其中有涉嫌在工程项目中牟利的情节，而对杨振超的反映也正是同类问题。巡视组向曹勇询问情况，获得了杨振超利用内弟参与淮南市工程牟利的明确线索。

时任中央第五巡视组组长　桑竹梅：

杨振超在淮南插手工程，然后以权谋私，就（有）这样一些问题。那么到了这个程度，我们就不会再往下去，那就是办案的事儿了，我们这两个是无缝对接的。

2016年6月，对安徽的巡视"回头看"反馈时，会场上已经没有了杨振超的身影，他已经于5月24日被正式立案审查。当年11月，陈树隆也被立案审查。两名副省级干部因同一次巡视落马，他们违纪违法问题中的诸多相似之处，也反映出一些值得警醒的共性问题。

中央纪委纪检监察室工作人员　张元星：

他们两个人都曾经长期在企业任职，就是把商人那一套，把商场的那一套带到了党政机关。表面上是一名党员领导干部，实际上是一名商人，党员的这种成分太少。

杨振超和陈树隆都曾经长年担任企业"一把手"，此后虽然从企业到了党政机关，但逐利至上的价值取向却从未改变，既想当大官，又想发大财，将商品交换原则带入党内政治生活，严重破坏政治生态。这条亦官亦商的道路，最终通向的是毁灭。

安徽省原副省长　杨振超：

这种利益上的刺激已经为它所诱，最后被它俘虏，所以现在想想也非常惭愧，非常后悔。

安徽省原副省长　陈树隆：

我要想告诉党政领导干部的一个教训就是，当官就不要发财，发财就不要当官。从政就好好地从政，经商就好好地经商。否则的话必然是像我这样人财两空，后悔莫及。

当权力遇上贪欲，再加上心存侥幸，往往会令人盲目，忘记了一些其实并不复杂的道理。执掌权力者既需要时刻自我警醒，从监督制度上也必须时刻有利剑高悬。巡视要保持它的锐度，需要不断自我磨砺，推陈出新。

时间进入2017年2月27日，第十二轮巡视拉开序幕。这是十八届中央最后一轮巡视，而改革创新并未止步，首次"机动式"巡视亮相。

首次"机动式"巡视进驻四个中央单位：中央网信办、国务院扶贫办、中国铁路总公司、中国船舶重工集团公司。

"机动式"巡视更加短、平、快，出其不意、攻其不备，在很短的工作时间里，迅速准确发现问题，推动被巡视对象解决问题。

巡视利剑作用的发挥、全覆盖的实现、"回头看"成为常态，都离不开改革创新。习近平总书记明确指出，要创新巡视形式，通过组织制度创新，增强巡视的机动性和灵活性，落实全覆盖要求，形成更大震慑力。

习近平总书记：

巡视是党内监督的战略性制度安排。要继续创新体制机制，建立健全组织领导、统筹协调、报告反馈、整改落实、队伍建设等工作机制。要创新组织制度，内部挖潜、盘活存量，充实队伍、优化结构。要创新方式方法，更专、更活、更准。

巡视永远在路上，创新也需要永远在路上。只有不断与时俱进、改革创新，才能使巡视利剑高悬、震慑常在，精准地击中问题，当好党中央的"千里眼"、"顺风耳"，为全面从严治党提供有力支撑，更好地服务于统筹推进"五位一体"总体布局和协调推进"四个全面"战略布局。

第四集 巡视全覆盖

第四集《巡视全覆盖》完整视频

无禁区、全覆盖、零容忍，是全面从严治党、深入开展反腐败斗争的旗帜、立场和方向。习近平总书记指出："十八届党中央明确一届任期内全面巡视，把它作为一个真正系统全面的制度，让功能全面发挥。只有全覆盖，才能'零容忍'，如果问题没发现，怎么能解决'零容忍'。"十八届中央对地方、部门、企事业单位共277个单位党组织进行了巡视，在党的历史上首次实现了一届任期内中央巡视全覆盖。

习近平总书记：

要加强对巡视工作的领导，确保在本届任期内实现巡视全覆盖，巡视全覆盖本身就是震慑。

巡视全覆盖是党中央向全党全社会作出的庄严承诺。十八届三中全会通过的《中共中央关于全面深化改革若干重大问题的决定》明确，改进中央和省区市巡视制度，做到对地方、部门、企事业单位全覆盖。十八届六中全会审议通过的《中国共产党党内监督条例》规定："中央和省、自治区、直辖市党委一届任期内，对所管理的地方、部门、企事业单位党组织全面巡视。"这是第一次在党内法规中对巡视全覆盖提出硬要求，表明党内监督没有例外、不留空白，这本身就是震慑。

中央和国家机关是党和国家治理体系中枢，地位重要、权力集中，理应在全面从严治党等方面走在前列。但在推进对中央部门巡视全覆盖过程中，发现各单位不同程度存在"灯下黑"问题，一些中管干部，也因此被立案审查。

国家统计局原局长　王保安：

我觉得中央部委呢，一报牌子人家就有影响力，我利用了党给我的职务和职位的影响力。

王保安先后在国家税务总局、财政部、国家统计局三个部门任职。2015年4月，他从财政部副部长调任国家统计局"一把手"，仅仅过了半年，2015年10月，中央巡视组巡视国家统计局时，发现了他在财政部期间的问题线索，王保安因此落马。

时任中央第八巡视组组长　宁延令：

（巡视组）进驻前，中央纪委有关纪检监察室和一些信访机关，也给我们通报过王保安有关问题的一些线索。

中央巡视组每次进驻前都会有一个情况通报会，中央纪委机关、中央组织部、审计署、国家信访局等多部门参加，通报被巡视地区或单位的相关情况，包括中管干部过往的问题反映。在情况通报会上，中央纪委机关通报了关于王保安的举报。

中央纪委纪检监察室副局级纪律检查员、监察专员　黄川：

举报（王保安）的东西还是相对比较笼统，是真的假的，当时你没法做出一个判断。这个时候巡视这个利剑作用就发挥出来了，它就可以发挥它的优势，去了解一些问题，它可能就更深一些、更方便一些。

对王保安的举报，主要是关于他利用职权，通过弟弟的生意牟利，巡视组带着这一信息进驻国家统计局后，再次收到了同样的举报。巡视组决定"下沉一级"了解情况。

王保安共四兄弟，他的三个弟弟都在河南，后来发现他涉嫌违纪违法的问题，不少是他在老家利用自己的影响力办的。

中央纪委纪检监察室副局级纪律检查员、监察专员　黄川：

王保安可以说是利用公权力构筑他的这个王氏家族。老二老三是做官的，老四是做老板的，王保安为他的二弟和三弟提拔使用打招呼，然后再用他手中的权力为四弟谋取巨额的利益。他这个家族式腐败特点很明显。

王保安在老家是个名人，尤其是在2009年他成为财政部部长助理、2012年又成为副部长之后，每当他回老家时，当地一些干部都会跑去"看望"，借此拉近关系。而王保安则会把弟弟们引荐给他们认识。

河南农村信用社联合社原党委书记、理事长　鲁轶：

跟王保安也吃过饭，吃饭的时候他弟弟也参加，不就认识了嘛。他三弟当过平顶山的财政局长，以后（是）湛河区的书记。他二弟从县委书记到副市长又到焦作常务副市长，这影响都很大，很多人都知道。他的小弟弟经商，那也是做得很大，那都知道啊。

鲁轶是河南省农村信用社联合社原理事长，2011年，王保安的四弟王红彪忽然来拜访他，请他帮忙给自己的项目批贷款。

河南农村信用社联合社原党委书记、理事长　鲁轶：

说是他哥让他来找我的，他要贷款。这样就在一块吃了个饭，因为王保安毕竟那个时候是财政部的部长助理啊。

国家统计局原局长　王保安：

我弟弟跟他一块吃饭，他俩在郑州，吃饭的时候打电话。作为鲁轶呢，我卖给你个面子，我说那你老兄掂量吧。你想我在电话上会跟他说请你关照这句话嘛，我傻啊？尽管我不会说出让他关照的话，但是我的影响力是在的。

在鲁轶的帮助下，王红彪的项目得到了28家农村信用社的违规联合授信数亿元。过了几年，王红彪拖欠贷款利息不还。

河南农村信用社联合社原党委书记、理事长　鲁轶：

他弟弟赖账，他不还息了。我去找了王保安，因为当时王红彪不是打着你王保安的牌子来的吗？王保安说我不知道啊，你事先给我说过吗？我事先给你说过吗？这是你们的事，你们说去，别跟我说这事。

利用影响力帮弟弟办事，出现问题则推得一干二净，是王保安惯用的方法。对于如何运用自己的影响力，王保安并非不懂，而是懂得很透彻。

国家统计局原局长　王保安：

到后来我当了部长助理之后，我就觉得，我意识到了我有影响力了。你就坐着不说话，就是个影响力。

2011年，王红彪的旺世公司经商务部审批，被确认为内资融资租赁试点企业，这背后也是王保安的影响力在发挥作用。

国家统计局原局长　王保安：

他说我在商务部谈个事，想找一下市场司你有没有熟人？原来我认识一个人，我就给他打电话，我说我弟弟在你们那呢，你看方便的时候见他一下。他说行，让他来找我吧，没事。

有些事情看似程序上并不违规，但实质是利用职权优先给关系户开绿灯，严重损害市场的公平公正。这是一种不易察觉的利益交换。

国家统计局原局长　王保安：

有些朋友互相一打电话说，我要到某某司咨询一个业务，你给找个人。一般也不叫帮忙，我们习惯的用语叫咨询一下。

巡视组"下沉一级"到河南期间，对王红彪公司相关项目做了深入了解，接触到了一些关键人，掌握了更确凿的问题线索。2016年1月，王保安接受组织审查，他的三个弟弟也都因涉嫌违纪或违法，接受调查处理。在审查中，越来越多王保安以权谋私的事项被发现，他不仅是利用影响力，也直接利用职权为人办事收取好处。

中央纪委纪检监察室副局级纪律检查员、监察专员　黄川：

令人触目惊心，主要是利用审批权为老板办事、批项目。老板给他送钱、送物、送豪宅、送豪车。他收别人的比如豪宅、豪车，他从来不登记在自己的名下。

早在2001年，王保安就为一名商人老板的项目获得审批提供帮助，收受一套204平米的房产。房产证是以王红彪的名字办理的。当时王保安虽然还只是司长，但他任职的财政部综合司掌管着一些项目的审批权。

国家统计局原局长　王保安：

不在于级别，在于岗位。有些司局有权力，有些没权力。就是能跟企业打交道的，就是与市场主体能打交道的司，第二个呢，就是掌握预算审批权的。

随着职务晋升，王保安有了更大的权力，换取的好处也更上一层楼。这套位于北京二环到三环之间的豪宅，是王保安担任财政部副部长之后，一名商人老板送上的厚礼。这套豪宅面积318平米，购房、装修总费用近5000万元。之所以出手如此大方，是因为公司的业务，必须经财政部审批，而王保安分管这一领域的审批权。

国家统计局原局长　王保安：

他在江苏投资开发了一个项目，已经报到了财政部，看能不能催一下帮忙，就是到我这圈个圈就行了，就签了。

为了逃避调查，王保安同样将这套豪宅挂在别人名下。

国家统计局原局长　王保安：

他说要不要给你上到你的名下得了。我说你拉倒吧，你上到我名下，我就住不了了。我说你干脆就上你们公司，或者你们家的亲戚（名下）。

王保安用自己的职权和影响力帮不少"朋友"办过事，并收受他们的好处。其中不少是他多年的老同学、老朋友，这种所谓"友情"的基础是什么，王保安也并非不清楚。

国家统计局原局长　王保安：

接触各省的同志多、朋友多，再加上能到中央部委工作的人呢，同学多。那么同学说明什么呢，专业相近，同一个行业、同一个部门的多，就是熟人。互相之间有所帮衬，苟富贵、勿相忘，常说这句话。

2017年5月，法院公开审判王保安案，一审判决无期徒刑。王保安利用职务上的便利，或利用其职权地位形成的便利条件，为他人谋取利益，直接或通过其亲属非法收受他人财物，共计折合人民币1.54亿余元。王保安巨大的贪腐数字，警示着中央部门权力背后的廉政风险。中央各部门以巡视整改为契机，强化管党治党政治责任，采取有力措施解决"灯下黑"问题，标本兼治，把党的路线方针政策落实到具体工作中。

全覆盖是管党治党的重大创新与突破。在推进省区市巡视全覆盖的同时，十八届中央加强对中管国有重要骨干企业和金融机构的巡视，首次对55家央企进行了一次全面"体检"。从巡视结果看，一些问题在央企更为严重。

习近平总书记指出，央企的问题表现在方方面面，从根源看，就是党的领导不力、没有发挥领导核心作用。有的对党的领导认识模糊，有的长期不研究党建工作，有的把党建部门作为安置养老的地方，有的大谈所谓的国企党建特殊论，强调国企特殊"规律"。要高度重视这些问题，这种局面不改变，最终势必影响党的执政能力，削弱党的执政基础。

十八大以来，中央纪委监察部网站已发布11名央企"一把手"接受审查或被处分的消息。

一汽集团原党委书记、董事长　徐建一：

作为一汽的"一把手"，犯了罪，我对不起一汽的员工。

徐建一在一汽集团工作数十年，2010年开始担任"一把手"。2014年7至8月，中央第十三巡视组巡视一汽集团后，击出的反腐重拳引发强烈震动。巡视结束当天，一汽集团原副总经理安德武等多名高管被带走调查；2015年3月15日，"一把手"徐建一也被组织审查。2017年2月9日，法院公开宣判，徐建一收受他人财物1200余万元，以受贿罪判处有期徒刑十一年六个月。

一汽集团原党委书记、董事长　徐建一：

我确实觉得不应该。作为央企的领导，国家给我们的待遇够高了，这是我讲心里话。我自己也很明白，为什么人家给我钱，不给别人钱呢，原因就是因为你在这个位置上，你有这个权力。

徐建一的贪腐问题，主要是利用职权让内弟的企业承接一汽物流运输业务，然后再收受内弟所送的房产和钱物。中央巡视组接到反映后，就此与徐建一谈话，徐建一表示已经让内弟退出了一汽的业务。但巡视组经过深入了解发现，他内弟的公司其实只是换了个法人名字而已。

时任中央第十三巡视组组长　朱保成：

他都给我们说过一些假话，但是我们按照我们的思路去查，查实以后把他假话推翻了。听说巡视要查了,他内弟把原来企业改头换面了,但实际还在做。

在一汽集团巡视期间有一个突出现象,巡视组每天接到的来信来电来访数量巨大、应接不暇,从中能感到一汽职工对当时的领导班子有极大不满。

时任中央第十三巡视组副组长　王海沙：

举报信(每天)往往是两三箱子,群众反映说一汽的领导叫住别墅、拿高薪、坐奥迪,就是没有心思搞自主品牌,这是个顺口溜,我们去了就听到了。群众说实话真的是一种监督制度,他通过这个对这一级党委的画像,我们从这么多信访里头能够看得出来。

职工举报集中的问题之一是这片名叫名仕山庄的别墅区,一汽职工更习惯叫它厂长楼。一汽集团领导班子在已经分配有住房的情况下,在长春净月潭风景区建了这片别墅,只出售给班子成员和中层以上干部,价格远远低于市场价。班子成员居室面积从300多到500多平方米不等,每座别墅还配有巨大的庭院,面积从2000多到3000多平方米不等,按级别享受。

一汽集团原党委书记、董事长　徐建一：

群众为什么有反映?这个是不应该的,考虑到那些职工,现在有的住房还很困难。一汽员工有那么多,为什么在这儿决定盖房子,为什么房子都是卖给高管了?

这大片的绿地,过去都是围在领导干部的私家院墙内,直到徐建一落马后院墙才拆除。作为"一把手",徐建一自己在别墅区也有一套,面积481平方米,庭院3000平方米。巡视组明确要求整改,但徐建一却想办法、搞变通,他当时只是在自家院内种了一圈树墙,外面的院墙仍然没有拆掉。

一汽集团原党委书记、董事长　徐建一:

说白了就是不负责任。有的同志也跟我说,你看你"一把手",你把这个改了以后,那我们怎么办啊?自己整改得不彻底,那你就更不要说带着别人整改了。为什么不彻底?就有畏难情绪,觉得这样做好像得罪人。

在职工强烈不满的另一个问题上,徐建一同样也是应付式整改。前些年,地方政府鼓励一汽集团为地方经济做贡献,发给一汽集团不少奖金,这些奖金并未用于企业发展,而是领导班子分掉了。

时任中央第十三巡视组副组长　王海沙:

大概有5000多万。人家地方政府给的是企业,他们领导同志自己就给分了。

徐建一自己分到的奖金累计430万元。这一问题也引发群众多次举报,徐建一只是要求不同级别的领导干部退出奖金的10%或20%,就算整改了。巡视期间,中央巡视组三次找徐建一谈话,他也并没有认真反思,而是忙于掩盖自己的问题。

中央纪委纪检监察室工作人员　李志勇:

他把所有的手表、金条放到几个茶叶罐里,然后在院里大树下面挖了一个坑,把这个茶叶罐又埋到这个坑里。巡视之后,他意识到可能这个别墅是必须要整改了,可能躲不过去了,又把茶叶罐挖出来,转移到其他亲属那,后来我们起获的时候罐上的泥土还在。

任何一个单位,如果群众举报数量庞大,必定有其原因。巡视组在一汽收到的反映,涉及到企业发展的方方面面,尤其是采购、销售、4S店审批等领域均存在严重问题。

中央纪委纪检监察室工作人员　李志勇:

好多车型,特别是紧俏车型一台车要加10万,甚至是更高的价格,如果4S店这个经销商他拿车的过程附加了利益输送的成本,比方说给某一个有审批权的干部、或者是一汽的领导回扣也好,或者说好处也好,那么这个成本一定要加到消费者身上的。

徐建一被组织审查后,一汽集团公司党委正视问题,对巡视反馈意见逐一认真整改,明令禁止领导干部和身边工作人员通过任何方式帮助他人协调购买紧俏车型。同时举一反三,针对4S店审批等资源配置领域腐败多发问题,认真查找体制机制漏洞,降低销售成本,让老百姓更多受益。职工反映强烈的别墅和奖金问题也都进行了彻底整改,奖金全部退还,别墅区也全部清空搬出。只要真正有决心,整改其实并不难。

一汽被称为共和国工业的长子,出生于1953年的徐建一与一汽同龄,父亲是最早一批一汽的建设者之一,给儿子起名徐建一,寓意就是建设一汽。落马之后,回想自己到底给一汽带来了什么,徐建一感到后悔,可惜已经太迟了。

一汽集团原党委书记、董事长　徐建一：

就是腐败，给你一点小的利益，就破坏制度了，给一点小的甜头，国家利益就不要了，整个把这个基础破坏掉了。如果都在想自己的事情，都在找一些破坏制度、制度以外运行的一些事情，企业是没有发展后劲的，慢慢就会变成一盘散沙了。

"一把手"不重视管党治党、党风廉政建设，企业将付出沉重代价，这一规律在多家央企反复被印证。2014年巡视前后，一汽落马的高管和中层干部共80多名。而徐建一担任党委书记期间，对于党委职责的弱化程度让人震惊。

中央纪委纪检监察室工作人员　李志勇：

他认为党委管党治党、监督没有经济效益。他把那些年龄大的、他认为能力不强的，甚至犯了错误的干部安排到这个位置。一个中层干部犯了错误，徐建一就开会研究，要对他进行处理，就通报批评然后调离岗位，去一个平级单位当党委书记。

全面从严治党，作为党领导下的央企、国企不能置身事外。巡视发现，不少央企主要领导不把自己当作党委书记，而是当作老板，管党治党第一责任人意识严重缺位。诸多问题警醒国有企业党组织，必须以巡视整改为契机，切实加强党的建设，把全面从严治党落到实处。

2017年2月，中央第十二轮巡视各巡视组进驻北京大学、清华大学等29所中管高校。

中央第七巡视组进驻清华后，公布电话、放置意见箱，广泛收集各种反映，共接收来信来电976件。召开各个层面的座谈会，与师生员工广泛谈话271人，涉及学校领导班子、中层干部、教职工、学生等各个层面和群体。通过广泛谈话、来信来访，深入了解情况。

时任中央第七巡视组组长 刘卒：

和有关的党员领导干部、教师、群众进行面对面的谈话和召开方方面面的座谈会，这些问题是根据我们在座谈会上和干部群众面对面谈话里面所得来的，同时还要查阅一些资料进行了解，进行发现问题。在加强党的建设方面，如何去做好学生的思想政治工作很明显跟不上时代的要求，也跟不上当前学生这方面的要求，这个问题在群众和干部中也是有反映的。

长期以来，中管高校党的组织处于监督的边缘，上级管得少，地方管不了，自我监督又乏力，造成了部分高校党组织和领导干部过度强调特殊性，视党规党纪为摆设，使高校党的建设和思想政治工作成为薄弱环节。

2017年8月28日，中央纪委监察部网站公布清华大学党委关于巡视整改情况的通报。清华大学党委认真落实总书记要求，针对师生反映强烈的问题，痛下决心，认真整改，采取有力措施，切实加强党的领导，增强"四个意识"，把党的教育方针贯彻到位。

清华大学党委副书记、校长 邱勇：

按照总书记的要求要做巡视整改的标杆，通过巡视整改，按照标杆的要求，促进清华的各项工作，150项整改措施，通过这次巡视整改，一个方面就是（党的）意识要加强，加强学校的党的建设，强化党的作用，第二个方面要加强制度建设，这是建立了长效机制。

清华大学党委把巡视整改作为一项重大政治任务、一次重大党性考验和一个重大发展机遇，不断强化责任担当，以思想自觉引领行动自觉，增强"四个意识"，把党的教育方针贯彻到位。针对巡视反馈中提出的存在"重教书轻育人、重智育轻德育"的现象，清华大学整改中把它作为加强党的领导，落实党的教育方针的一个切入点，多措并举，抓紧抓实。

清华大学党委学生部部长　丛振涛：

通过这个巡视，应该说整个青年学生包括我们学校的老师，都对这个党的事业，或者对党的组织更有信心。2016级的我们的新生写了入党志愿书的比例有了显著的增加，那么另外实际上这些年我们也有越来越多的学生把他们个人职业的选择或者人生的选择和党的这个事业，和国家前途命运更好地结合起来。

巡视全覆盖，党中央已经作出了示范。各省区市党委紧跟党中央步伐，积极探索、深化实践。2014年6月，习近平总书记在听取十八届中央第三轮巡视情况汇报时要求，推进省区市巡视工作，切实加强领导，深入开展调研，推动省区市党委改进巡视工作，上下联动，形成全国巡视"一盘棋"的战略态势。

2014年7月，王岐山同志在内蒙古主持召开部分省区市巡视工作座谈会，对加强和改进地方巡视工作进行部署，明确提出各省、自治区、直辖市党委要认真落实主体责任，切实加强对巡视工作的领导，使巡视真正成为发现问题的"尖兵"。

云南省曲靖市委原副书记　李云忠：

不要心存侥幸，绝对不要这么想，有些事情一旦发生，就是不以你的意志为转移了。

李云忠曾任曲靖市委副书记、市委组织部部长。2014年4月，云南省委第一巡视组巡视曲靖，接到一些关于李云忠的举报，一是反映他利用组织人事权卖官鬻爵，二是反映他插手工程项目牟利，其中有一条举报相对具体，说李云忠家人在昆明开了家金兰茶室，其实是他敛财的平台。巡视组于是前往茶室进行查访。

时任云南省委第一巡视组组长　郭振兴：

就发现两个情况，一个好多消费者操的是曲靖方言，第二个他这个茶价格奇高，一壶茶数百上千元，一片茶就是一饼茶，数千上万元。我就想曲靖人，你离昆明一百多公里，你这双休日你不在曲靖喝茶，怎么老远跑到金兰茶室来消费，这里面肯定有名堂。

李云忠落马后，茶室现在已经转给他人经营。而当时，这家茶室的确是李云忠一举多得的设计。茶室开在昆明，离曲靖比较远，一些干部老板到这里和他交往，不容易被发现；一些钱财输送可以假借消费之名进行；还有一些非法所得也可以直接转到茶室账上，茶室账上的钱又拿出来放贷给其他商人，形成利滚利。

云南省曲靖市委原副书记　李云忠：

有些工程收益的话，他是以茶室的名义来收的。我们用茶室那个钱去放贷投资，感到效益也是可以的，因为有我这个金字招牌，那些需要资金的人他不敢耍赖，不敢到期不退款（还款）。

当时，巡视组一边在茶室持续查访，锁定一些来喝茶的曲靖干部之后单独约谈；另一方面，也通过多种方法从其它路径寻找李云忠的问题线索。

时任云南省委第一巡视组组长　郭振兴：

李云忠插手基建工程，那么我们是下沉一级，到了曲靖市所属的一些部门和县区市，我们有意识地问这几年你们这个工程有没有上级领导干部（在）工程招标的时候进行干预，释放出我们巡视组确实这次要查找工程方面违纪问题线索这么一个很强烈的信号，把它释放出来，他们就有些主动了。比如某个县委书记原来他不想讲，后来（看到）我们了解他这些工程的情况，他就说李云忠那个胆子很大，手伸得很长。

巡视组还在曲靖市开展了一次问卷调查，对各级领导干部进行评议，从中发现群众评价有原则、有正气的干部。考虑到李云忠在曲靖任职多年，巡视组就优先找这些干部了解李云忠的情况，果然从中找到了重要线索。

时任云南省委第一巡视组组长　郭振兴：

我们就把他们请到某个地点，然后单独跟他约时间约地点，然后呢有位知情人就介绍，他所知道的某个镇的一个正科级干部、镇党委书记，通过一个姓徐的老板跟李云忠熟悉以后，这个人就又跑又送，几年间他这个职务一再调动提任。

巡视组顺着这一线索，找到了这名叫徐天福的老板，进而发现徐天福在当地有钱有势，被称为地下组织部长。李云忠重用徐天福推荐的干部，还帮他打招呼拿工程，徐天福则带着李云忠的儿子做生意，给他的儿子送上巨额股份。

涉案商人　徐天福：

他儿子大学刚毕业没有工作，在一起做生意，实际上就是（一起）干工程。就说在几个工程上，（李云忠）打打招呼，就给他股份。

这样一步步深入了解，李云忠卖官鬻爵的问题、插手工程的问题最终都浮出水面。李云忠成为云南省第一个因省级巡视落马的副厅级实职领导干部，在全省引起不小震动。

时任云南省委第一巡视组组长　郭振兴：

在云南他们有句话说，我们巡视组"凶"，每一轮巡视都会真找问题、找出真问题。

中央巡视工作方针如何落实到省一级，是关乎全局的大问题。从现实情况来看，中央纪委查处的中管干部违纪问题，很多都是发生在担任下级"一把手"期间，有的甚至带病在岗10年、20年，屡被提拔。重点抓好对市县巡视，尤其盯住"一把手"，使他们自进入主要领导干部行列起就受到严格监督，才能防止带病层层提拔，遏制腐败蔓延的势头。

截至2017年4月底，全国31个省区市和新疆生产建设兵团如期实现对所管理党组织巡视全覆盖,共完成对8362个地区、部门、企事业单位党组织的巡视。根据巡视移交问题线索,各地纪检监察机关立案查处厅局级干部1225人、县处级干部8684人。与此同时,十八大以来,60多个中央单位党组织探索开展巡视工作,共巡视党组织1730个,对202个党组织"回头看",共发现违反"六项纪律"方面问题8744个,发现厅局级干部问题线索1537件、处级干部问题线索2363件。

党的十八大以来,党中央坚持思想建党和制度治党相统一,五年时间里修订或制定了80多部党内法规,形成党内监督的制度体系,极大提高了制度治党、依规管党治党的水平。《中国共产党巡视工作条例》是党内监督法规体系的重要组成部分,是全面从严治党的制度利器。随着管党治党的不断深化和巡视实践发展,十八届党中央与时俱进两次修订巡视工作条例,推动更好发挥巡视监督政治作用。

习近平总书记:

如果什么都过问,回来主要报告经济发展等方面的问题,党风廉政建设方面的内容反而成了陪衬,那指导思想就不明确了。不是说经济社会发展问题不重要,管经济社会发展的部门很多,他们检查监督就够了,巡视要突出重点,巡视出威慑力。

党的十八大以来,党中央高度重视巡视工作,习近平总书记对加强和改进巡视工作作出系列重大决策部署,形成了中央巡视工作方针。探索实践在前,总结提炼在后。贯彻十八届三中、四中全会精神，总结巡视工作实践经验，党中央于2015年修订颁布《中国共产党巡视工作条例》，把聚焦中心、坚持发现问题形成震慑、创新组织制度和工作方式、善用巡视成果等写进条例，为依规依纪巡视、全面从严治党发挥了重要作用。

中央巡视工作领导小组成员　中央巡视办主任　黎晓宏：

在主体定位上，就是明确了巡视是党中央的巡视，体现了党中央的权威和信用。在职能定位上，明确了发现问题，形成震慑是主要任务，体现了党内监督的严肃性。

随着管党治党的不断深化和巡视实践的发展，特别是十八届六中全会专题就全面从严治党作出战略部署，党中央对加强和改进巡视工作又作出一系列新决策，对深化政治巡视提出新要求。《关于新形势下党内政治生活的若干准则》和《中国共产党党内监督条例》，对巡视监督作出新规定，迫切要求再次修订巡视工作条例。

中央巡视工作领导小组成员　中央巡视办主任　黎晓宏：

一届党代会五年当中，先后两次修改修订巡视条例，这还是前所未有的，这个也是由于巡视快速发展，出现了很多新情况新问题新要求新经验，所以这也决定了条例要与时俱进，所以我们又进行了第二次修改。主要有这么几方面内容，一个就是体现了政治巡视，第二个加入了中央单位的巡视，（还有）到地、市一级，它是对县乡镇一直到村的这么一个巡察工作。

这次修改最大的重点与亮点，是把政治巡视要求写入条例，明确巡视要以"四个意识"为政治标杆，把维护党中央权威和集中统一领导作为根本政治任务，把贯彻"五位一体"总体布局、"四个全面"战略布局和新发展理念作为基本政治要求，突出巡视监督政治作用。

日前，中央办公厅印发了《被巡视党组织配合中央巡视工作规定》，中央巡视工作领导小组及其办公室分别印发了《中央巡视工作领导小组工作规则》、《中央巡视组工作规则》和《中央巡视工作领导小组办公室工作规则》，作为新修改的《中国共产党巡视工作条例》的重要配套制度。

2016年10月24日至27日，党的十八届六中全会在北京举行。全会审议通过《关于新形势下党内政治生活的若干准则》、修订《中国共产党党内监督条例》，全面从严治党再动员、再部署、再出发。

习近平总书记：

早在延安时期，毛泽东同志就提出跳出"历史周期率"的课题，党的八大规定任何党员和党的组织都必须受到自上而下的和自下而上的监督，现在我们不断完善党内监督体系，目的都是形成科学管用的防错纠错机制，不断增强党自我净化、自我完善、自我革新、自我提高能力。

全面从严治党，最终要探索出一条党长期执政条件下实现自我监督的有效途径。党的十八大以来，巡视制度的设计，让它既成为党内监督有效发挥作用的过程，也成为依托广大人民群众，与群众监督相结合的过程。巡视发现问题形成震慑的效果不断显现，广大干部群众看到了党中央是真巡视真反馈真整改，他们对党真心信任，讲真话道实情，向巡视组反映问题，自上而下的党内监督和自下而上的广大人民群众的监督得到了交汇的平台，迸发出的力量是巨大的。中央12轮巡视共处理来信110余万件次，接待来访30余万件次，接听来电10余万次；每个省区市谈话近400人次，每个中央部门和企事业单位谈话近200人次。十八届党中央把巡视作为党内监督的战略性制度安排，与民主监督、群众监督、舆论监督有机结合，通过环环相扣的制度设计，在新时期焕发出新的活力，成为党中央发现问题的尖兵和前哨。

巡视组以"四个意识"为政治标杆，聚焦坚持党的领导、加强党的建设、全面从严治党，盯住党委（党组），突出"关键少数"，查找政治偏差，充分发挥政治"显微镜"、政治"探照灯"作用。十八届中央纪委执纪审查的案件中，超过60%的线索来自巡视，中央巡视组巡视过程中，不同程度地发现了孙政才、王三运、王珉、黄兴国的问题线索。实践充分证明，巡视制度有效管用。通过巡视，我们党把客观存在的问题揭摆出来，并推动解决，展现了高度自信和坚强定力，赢得了人民群众对党中央的信心、信任和信赖，厚植了党执政的政治基础。

党要团结带领人民进行伟大斗争、推进伟大事业、实现伟大梦想，必须毫不动摇坚持和完善党的领导，毫不动摇推进党的建设新的伟大工程，把党建设得更加坚强有力。

习近平指出，全面从严治党永远在路上。一个政党，一个政权，其前途命运取决于人心向背。对党的十八大以来全面从严治党取得的成果，人民群众给予了很高评价，成绩值得充分肯定，经验值得深入总结。但是，我们决不能因此而沾沾自喜、盲目乐观。全面从严治党依然任重道远。全党要坚持问题导向，保持战略定力，推动全面从严治党向纵深发展，把全面从严治党的思路举措搞得更加科学、更加严密、更加有效，确保党始终同人民想在一起、干在一起，引领承载着中国人民伟大梦想的航船破浪前进，胜利驶向光辉的彼岸。

实现党的全面领导、长期执政，最大挑战就是对权力的有效监督。十八届党中央把巡视作为党内监督的战略性制度安排，纳入全面从严治党战略布局，坚持党内监督和群众监督相结合，赋予巡视制度新的活力，有效破解党内监督的难题，探索冲破"历史周期率"，彰显中国特色社会主义民主监督制度优势。要以永远在路上的精神状态，坚持不懈用好巡视这把利剑，在坚持中深化，在深化中坚持，不断发扬光大，探索出一条实现自我净化、自我完善、自我革新、自我提高的有效途径，确保党始终成为中国特色社会主义事业的坚强领导核心。

本片由中央纪委宣传部、中央巡视办、中央电视台联合制作。

附 录

传导压力强震慑

——十八大以来省区市巡视工作深化发展综述

利剑高悬，完成对 8362 个地方、部门、企事业单位党组织的巡视全覆盖任务；震慑常在，发现违反"六项纪律"问题 14.3 万多个，发现党的领导弱化、党的建设缺失、全面从严治党不力问题 4.1 万多个……十八大以来各省区市和新疆生产建设兵团落实中央巡视方针、执行巡视工作条例、扎实推进巡视工作，交上一份沉甸甸的"成绩单"。

落实中央要求，兑现全覆盖政治承诺

"改进中央和省区市巡视制度，做到对地方、部门、企事业单位全覆盖"，党的十八届三中全会《关于全面深化改革若干重大问题的决定》第 36 条，对改进省区市巡视工作作出明确部署。2015 年 8 月，党中央颁布新修订的巡视工作条例，明确省区市巡视工作定位、内容和方式，为省区市巡视工作规范开展提供了重要遵循。2016 年，十八届六中全会审议通过的党内监

督条例，首次在党内法规层面对省区市党委一届任期内实现巡视全覆盖作出规定。

省区市巡视是构建巡视巡察监督立体网络格局的重要基础。"省区市党委必须坚决贯彻中央巡视方针，深化聚焦转型，做到横向全覆盖、纵向全链接、全国一盘棋，上下联动遏制腐败现象蔓延势头。"习近平总书记高度重视省区市巡视工作，多次提出明确要求，为省区市巡视工作深入推进指明了方向。

落实党中央决策部署，紧跟中央巡视工作步伐，省区市党委加强组织领导，加大巡视力度、加快巡视节奏，深入推进巡视工作。

党委常委会454次、书记专题会271次，党委书记批示1391次……一串沉甸甸的数字，是省区市党委主动担当、加强对巡视工作组织领导的生动写照。省区市巡视工作领导小组靠前指挥，召开会议748次，既及时听取汇报、研究巡视情况、解决具体问题，又摸清底数、科学安排、倒排工期、把握进度。党委巡视办认真履职，加强协调保障和督促检查，有效发挥统筹、协调、指导职能，切实抓好各项任务的贯彻落实。

利剑作用的发挥、全覆盖的实现，都离不开方式方法的创新。省区市党委积极借鉴中央巡视工作经验做法，改革创新、整合资源、盘活存量、充实队伍——改进组织形式，从"常规为主"到"常专结合""专项为主"，适当增加巡视批次、压缩巡视间隔、优化巡视流程，采取"一托二""一托三"等方式开展专项巡视，加速推进全覆盖工作；改进工作方式，从"按部就班"到"灵活机动""板块轮动",探索"点穴式""回访式""巡查式"巡视,关联部门同步安排、同类单位合并巡视,提高工作效率,提升监督效果;同时加强队伍建设,有效充实人员力量。

主体责任的落实到位、方式方法的不断创新,为省区市巡视工作深入推进注入活力、增添动力。省区市巡视进度不断加快,年度巡视党组织数量占总任务量的比重,由2013年的9.4%,增至2015年的38.1%、2016年的37.9%。今年4月底,各省区市完成一届党委任期巡视全覆盖任务,兑现了党内监督无禁区的庄严承诺。

深化政治巡视,确保巡视监督质量

习近平总书记强调,巡视工作就是要发现和反映问题,发现不了问题,就无法实现"零容忍"。认真落实党中央要求,省区市巡视深刻把握政治巡视内涵,始终坚持问题导向,着力发现问题、反映问题、指出问题,及时推动促进问题的有效解决。

准确发现问题,是巡视工作的主要任务,是衡量巡视工作成效最重要的标准,也是形成震慑的前提和基础。广东省委第三巡视组在深圳明察暗访时发现问题端倪:时任深圳市委常委、政法委书记的蒋尊玉作为党员领导干部,却被人唤作"老板""大哥"。凭着强烈的政治敏感性,巡视组深挖细查、顺藤摸瓜,挖出一名"五毒俱全"的贪官。按照中央政治巡视要求,省区市党委和巡视机构不断提高政治站位和政治觉悟,贯彻新发展理念，坚持把纪律和规矩挺在前面，巡视监督质量和水平不断提升。十八大以来，省区市巡视发现领导干部违纪违规问题线索5.8万余件，涉及厅局级干部1.3万件、县处级干部3.96万件，呈现逐年大幅提升态势。

保证巡视工作质量，必须旗帜鲜明讲政治，深刻把握政治巡视内涵。2015年，中央明确政治巡视定位后，省区市巡视立即跟上，提高政治站位，坚持从政治上驾驭归纳问题。黑龙江省委巡视组发现，一些地区所辖乡镇、林场（所）均实行行政首长负责制，党委书记被定位为"二把手"；贵州省委专项巡视发现省内各高等院校党委普遍存在重教学、轻党建的现象，党委对履行主体责任、全面从严治党认识不到位……十八大以来，省区市巡视着力发现党的领导弱化、党的建设缺失、全面从严治党不力问题，为严肃党内政治生活、净化党内政治生态、推进全面从严治党发挥了重要作用。

提高政治站位，把握巡视重点。随着政治巡视的不断深化，省区市党委和巡视机构进一步聚焦工作重点，以"四个意识"为政治标杆，把维护党中央权威和集中统一领导作为根本政治任务，把严肃党内政治生活作为基本政治要求，把被巡视党组织贯彻落实"五位一体""四个全面"和新发展理念情况作为重点监督内容，充分发挥政治"显微镜""探照灯"作用，深入查找政治偏差。今年上半年，北京、山东、宁夏等省区市党委巡视组在反馈巡视情况的问题清单中，"四个意识"不强、贯彻落实中央和省委重大决策部署有差距、党内政治生活不严肃等表述高频出现，从一个侧面凸显出省区市巡视紧跟中央步伐，深挖问题根源，不断提高政治站位和监督质量的显著成效。

加强成果运用，发挥标本兼治作用

直面问题是勇气，解决问题是目的。巡视发现了问题，就要解决、要处理。5年来，省区市党委和巡视机构对标中央要求，严肃反馈情况、压实整改责任、规范线索移交、加强跟踪督办，公开巡视信息、宣传整改成效，开展"回头看"和整改督查工作，力求做到事事有回音、件件有着落、条条有落实，成果运用水平明显提升。

认真抓好整改落实。省区市党委和巡视机构坚持压实整改责任，推动被巡视党组织巡前即知即改、巡中立行立改、巡后全面整改。各省区市加强督促检查，截至今年4月底，有30个地区对993个党组织开展"回头看"，25个地区对1323个党组织开展整改专项检查，体现了党内监督的严肃性和韧劲。截至今年上半年，省区市巡视中移交的1.6万多条问题整改率达91.7%，巡视反馈的9.7万个问题整改率为88%。

强化问题线索处置。根据巡视移交问题线索，各级纪检监察机关立案审查厅级干部1326名、处级干部8957名，组织处理厅级干部263名、处级干部1202名。吉林省探索完善边巡边查机制，对严重违纪问题线索实行"直通"。在巡视白山市时，巡视组发现副市长苗春岫涉嫌违纪的问题线索，直报省委巡视工作领导小组和省委后，决定由省纪委迅速对其立案审查，并及时作出"双开"处理，移交司法机关。

更加注重推进治本。针对巡视发现普遍性倾向性问题，各省区市巡视组向党委提交专题报告6453份，向相关部门提出意见建议7804条，督促被巡视党组织加强监管、完善制度，标本兼治战略作用得到较好发挥。内蒙古自治区根据巡视提出的切实解决发生在群众身边不正之风和腐败问题的建议，在全区统一开展了6轮"拍苍蝇"行动，强化震慑遏制治本作用。

作为全面从严治党生动实践的重要组成部分、推进全面从严治党向纵深发展的重要成果，经过5年磨砺，省区市巡视工作威力彰显，有力维护了党中央集中统一领导，严肃了党内政治生活、净化了党内政治生态，使全面从严治党主体责任得到强化，党风廉政建设和反腐败斗争不断推进，党同人民群众血肉联系更加密切。

十八届党中央两次修订修改巡视工作条例，释放的是全面从严治党永远在路上的强烈信号。在新的征程上，新一届省区市党委必将强化责任担当，推动巡视工作向纵深发展，以全面从严治党的实际成效回应党内和人民的期盼！

坚决防止"灯下黑"

——十八大以来中央单位巡视工作规范发展综述

2016年，国务院国资委党委对55家国资委党委管理主要负责人的中央企业进行了全面巡视；截至今年6月，教育部党组先后分8批次对49所直属高校和33家直属单位开展巡视，实现了巡视全覆盖目标……

党的十八大以来，中央巡视工作领导小组坚决贯彻党中央决策部署和习近平总书记关于巡视工作的系列重要论述，加强组织领导，传导责任压力，推动中央有关部委和中央国家机关部门巡视工作逐步规范、迅速发展。目前，已有65家中央和国家机关部委、13家中管金融单位开展了巡视，有力推动了"以中央巡视为主体、省区市和中央单位巡视为基础"的巡视工作格局的形成。

坚持问题导向，坚定正确政治方向

中央单位巡视，是指中央和国家机关党组（党委）对其所管理的党组织进行巡视监督。由于中央单位的重要性和特殊性，中央单位巡视被赋予了重要意义。

作为党和国家治理体系的中枢，中央和国家机关既是党的路线方针政策的"第一执行者",又是各个领域、系统的领导者。2017年2月,习近平总书记在主持召开中央政治局会议,审议《关于巡视中央和国家机关全覆盖情况的专题报告》时,明确指出中央和国家机关在党和国家事业发展中肩负重要职责,要坚决维护党中央权威和集中统一领导,确保全党令行禁止,采取有力措施解决"灯下黑"问题。

对于中央单位而言,"灯下黑"问题并非虚言。从十八大以来中央巡视组向各中央单位反馈的情况来看,党的领导弱化、党的建设缺失、全面从严治党不力等问题不同程度存在。

以问题为导向,党中央高度重视中央单位巡视工作。2015年,中央在印发《中国共产党巡视工作条例》的通知中明确要求,有关中央部委和国家机关部委党组(党委)的巡视工作,参照条例执行。十八届六中全会审议通过的党内监督条例,在党内法规层面第一次提出中央和国家机关部门党组(党委)巡视工作,明确规定加强对中央有关部委、中央国家机关部门党组(党委)巡视工作的领导。

切实加强对中央单位巡视工作的领导,中央巡视工作领导小组多次专题研究,为中央单位开展巡视工作指明着力方向。2016年9月,王岐山同志出席学习贯彻习近平总书记关于巡视工作论述暨中央单位巡视工作座谈会,着重强调中央部委必须把握政治定位,增强"四个意识",围绕党的领导、党的建设、从严治党、党风廉政建设和反腐败工作,着力发现落实"五位一体"总体布局、"四个全面"战略布局、新发展理念存在的突出问题，保证党中央的路线方针政策落到实处。

中央巡视办不断加强对中央单位巡视工作的指导。从2015年初开始，每轮中央巡视进驻时中央巡视办都会召开省区市和部分中央单位巡视办负责同志座谈会，对推进中央和国家机关巡视工作提出要求，作出安排和部署。同时中央巡视办对开展巡视的中央单位进行深入调研，针对发现的领导体制不够顺畅、机构设置不够统一、巡视重点不够聚焦等问题，提出"授权要规范、试点要规范、制度要规范"，推动中央单位巡视不断规范发展。

在党中央坚强有力领导和中央巡视工作的示范带动下，中央单位党组（党委）把坚定正确政治方向放在第一位，紧紧围绕党的领导弱化、党的建设缺失、全面从严治党不力等突出问题开展监督检查，深化政治巡视。5年来，各中央单位巡视充分发挥政治"显微镜"和"探照灯"作用，共发现"三大类问题"10407个，有力保证了党的路线方针政策真正落实到位。

加强组织领导，创新方式方法

党的十八大以来，中央单位党组（党委）不断加强组织领导，在实践中结合自身情况特点，积极探索和创新巡视方式方法，推动巡视工作不断发展。

开展好中央单位巡视工作，积极履行主体责任至关重要。中央单位党组（党委）将开展巡视作为履行主体责任的具体化，切实加强对巡视工作的组织领导。5年来，中央单位由党组（党委）书记任组长、纪检组组长任副组长并负责日常工作的领导体制逐步落实。外交部党委成立了由部党委书记任组长，主管纪检、党务和组织人事的三位部党委成员任副组长的四人领导小组，靠前指挥，及时研究巡视情况，议定重要事项。从2013年到2016年，各中央单位召开领导小组会的次数从年40次增加至年488次，议事规则不断优化，有力保障了巡视工作健康有序开展。

制度的生命力在于执行，执行制度最终靠人。中央单位普遍加强了巡视干部队伍建设，已有56家中央单位成立了巡视机构，配备巡视办干部327名、巡视组干部956名。有的中央单位还建立了巡视人才库，如税务总局建立了10个专业293人规模的巡视人才库，为开展好巡视工作提供了有力支持。

把中央精神落到实处，必须在结合实际上做文章。各中央单位开展巡视工作时，既注重领会上情，也注重结合实情，突出本部门本单位特点。银监会党委根据内部巡视的特点，坚持巡视与选人用人监督相结合，加强巡前、巡中、巡后与驻会纪检组的协调配合；海关总署党组针对垂直管理的特点，把直属海关单位党组织领导班子及其成员特别是"一把手"，以及隶属海关单位主要负责人作为重点人，把执法领域工作人员受贿、放私、纵容、参与或庇护走私，非执法领域的招投标、出租出借、罚没物品管理等作为重点领域，增强了巡视的针对性。

紧跟中央巡视步伐，与时俱进创新巡视方式方法。近年来新出现的专项巡视、"回头看"等方式，在中央单位巡视中也得到运用。今年以来，最高检党组已对天津、广东、山西、贵州等省市检察院党组开展巡视"回头看"，取得了较好效果。2017

年3月底,国务院国资委党委2017年第一轮巡视全面启动,不久前才在中央第十二轮巡视中出现的"机动式"巡视也在此轮正式亮相。

与此同时,中央单位党组(党委)积极探索向下级单位延伸拓展内部巡视和巡察工作,在层层传导压力中推动巡视工作深入开展。教育部党组推动复旦大学、山东大学、厦门大学等高校探索开展对二级党组织的巡察;国务院国资委党委巡视机构强化对企业内部巡察的指导,目前所有央企均已建立巡视制度,推动开展巡视工作,十八大以来共巡视所属二级企业1473户,发现问题22930个;2016年6月,税务总局开展基层巡察试点,推动省以下国税机关开展巡察工作,积极构建巡视巡察同频共振、横向到边、纵向到底的巡视监督新格局。

发挥利剑作用,效果不断显现

巡视既是为了发现问题,更是为了解决问题。加强对巡视成果的运用,是强化巡视效果的重要方面。据统计,中央单位巡视反馈的17843个问题中,已有87%得到整改。对巡视发现的问题线索及时移交和处理,从2013年到2016年中央单位共通过巡视移交线索立案审查厅级干部273人、处级干部101人。

以覆盖面的不断加大为基础,5年来,中央单位巡视的监督作用也在不断加强。在巡视中,各单位坚持把纪律挺在前面,把发现问题、形成震慑作为衡量巡视成效的最重要标准,监督质量和水平不断提高。通过巡视,各单位发现违反"六项纪律"

问题8744个，厅局级干部问题线索1537件，县处级干部问题线索2363件，震慑作用充分发挥，巡视真正成为发现问题的"尖兵"、纪律审查的"前哨"。

以巡视为契机查找深层次原因，不断完善体制机制，促进标本兼治，是强化巡视成果运用的应有之义。海关总署党组围绕拆解利益链、重组权力链、紧固责任链，在深圳、黄埔海关开展查验环节改革试点，通过规范化、制度化、标准化、留痕迹、可追溯的"制度＋科技"手段，有效压缩了自由裁量权。

更重要的是，中央单位的巡视工作为坚持党的领导、加强党的建设、全面从严治党提供了重要支撑。5年来，中央单位通过巡视工作，有力维护党的集中统一领导，推动各单位党的组织不健全、组织生活制度不落实、执行民主集中制不规范等问题及时纠正和解决，党组织软弱涣散、党员队伍管理松散等问题及时整改，干部选拔任用不规范问题及时改进，在严肃党内政治生活、净化党内政治生态上发挥了重要作用。

回望5年，从先行先试摸索前进，到不断规范深化发展，中央单位巡视已成为推进全面从严治党向纵深发展的重要成果，也为构建巡视巡察监督立体网络格局奠定了重要基础。今年7月，在迎接党的十九大胜利召开的重要节点，党中央对巡视工作条例再次做出修改，首次以党内法规的形式，对中央和国家机关开展巡视工作予以明确规定。站在新的起点上，中央单位巡视工作必将把"全面"和"从严"的要求落实到中央和国家机关的方方面面，推动从根本上解决中央单位"灯下黑"问题。

中共中央关于修改《中国共产党巡视工作条例》的决定

为贯彻落实党的十八届六中全会精神，深化政治巡视，进一步发挥巡视监督全面从严治党利剑作用，党中央决定对《中国共产党巡视工作条例》作如下修改。

一、将第一条修改为："为落实全面从严治党要求，严肃党内政治生活，净化党内政治生态，加强党内监督，规范巡视工作，根据《中国共产党章程》，制定本条例。"

二、将第二条第一款分为三款，原第一款修改为："党的中央和省、自治区、直辖市委员会实行巡视制度，建立专职巡视机构，在一届任期内对所管理的地方、部门、企事业单位党组织全面巡视。"

增加第二款："中央有关部委、中央国家机关部门党组（党委）可以实行巡视制度，设立巡视机构，对所管理的党组织进行巡视监督。"

增加第三款："党的市（地、州、盟）和县（市、区、旗）委员会建立巡察制度，设立巡察机构，对所管理的党组织进行巡察监督。"

原第二款为第四款，修改为："开展巡视巡察工作的党组织承担巡视巡察工作的主体责任。"

三、将第三条修改为:"巡视工作以马克思列宁主义、毛泽东思想、邓小平理论、'三个代表'重要思想、科学发展观为指导,深入贯彻习近平总书记系列重要讲话精神和治国理政新理念新思想新战略,牢固树立政治意识、大局意识、核心意识、看齐意识,坚定不移维护以习近平同志为核心的党中央权威和集中统一领导,统筹推进'五位一体'总体布局和协调推进'四个全面'战略布局,贯彻新发展理念,坚定对中国特色社会主义的道路自信、理论自信、制度自信、文化自信,尊崇党章,依规治党,落实中央巡视工作方针,深化政治巡视,聚焦坚持党的领导、加强党的建设、全面从严治党,发现问题、形成震慑,推动改革、促进发展,确保党始终成为中国特色社会主义事业的坚强领导核心。"

四、将第五条第三款修改为:"中央巡视工作领导小组应当加强对省、自治区、直辖市党委,中央有关部委,中央国家机关部门党组(党委)巡视工作的领导。"

五、将第十一条第一项修改为:"(一)理想信念坚定,对党忠诚,在思想上政治上行动上同党中央保持高度一致。"

六、将第十五条修改为:"巡视组对巡视对象执行《中国共产党章程》和其他党内法规,遵守党的纪律,落实全面从严治党主体责任和监督责任等情况进行监督,着力发现党的领导弱化、党的建设缺失、全面从严治党不力,党的观念淡漠、组织涣散、纪律松弛,管党治党宽松软问题:

（一）违反政治纪律和政治规矩，存在违背党的路线方针政策的言行，有令不行、有禁不止，阳奉阴违、结党营私、团团伙伙、拉帮结派，以及落实意识形态工作责任制不到位等问题；

（二）违反廉洁纪律，以权谋私、贪污贿赂、腐化堕落等问题；

（三）违反组织纪律，违规用人、任人唯亲、跑官要官、买官卖官、拉票贿选，以及独断专行、软弱涣散、严重不团结等问题；

（四）违反群众纪律、工作纪律、生活纪律，落实中央八项规定精神不力，搞形式主义、官僚主义、享乐主义和奢靡之风等问题；

（五）派出巡视组的党组织要求了解的其他问题。"

本决定自2017年7月10日起施行。

现将修改后的《中国共产党巡视工作条例》予以印发。

中国共产党巡视工作条例
（2017年7月1日修改）

第一章　总　则

第一条　为落实全面从严治党要求，严肃党内政治生活，净化党内政治生态，加强党内监督，规范巡视工作，根据《中国共产党章程》，制定本条例。

第二条　党的中央和省、自治区、直辖市委员会实行巡视制度，建立专职巡视机构，在一届任期内对所管理的地方、部门、企事业单位党组织全面巡视。

中央有关部委、中央国家机关部门党组（党委）可以实行巡视制度，设立巡视机构，对所管理的党组织进行巡视监督。

党的市（地、州、盟）和县（市、区、旗）委员会建立巡察制度，设立巡察机构，对所管理的党组织进行巡察监督。

开展巡视巡察工作的党组织承担巡视巡察工作的主体责任。

第三条　巡视工作以马克思列宁主义、毛泽东思想、邓小平理论、"三个代表"重要思想、科学发展观为指导，深入贯彻习近平总书记系列重要讲话精神和治国理政新理念新思想新战略，牢固树立政治意识、大局意识、核心意识、看齐意识，坚定不移维护以习近平同志为核心的党中央权威和集中统一领导，统筹推进"五位一体"总体布局和协调推进"四个全面"战略布局，贯彻新发展理念，坚定对中国特色社会主义的道路自信、理论自信、制度自信、文化自信，尊崇党章，依规治党，落实中央巡视工作方针，深化政治巡视，聚焦坚持党的领导、加强党的建设、全面从严治党，发现问题、形成震慑，推动改革、促进发展，确保党始终成为中国特色社会主义事业的坚强领导核心。

第四条　巡视工作坚持中央统一领导、分级负责；坚持实事求是、依法依规；坚持群众路线、发扬民主。

第二章　机构和人员

第五条　党的中央和省、自治区、直辖市委员会成立巡视工作领导小组，分别向党中央和省、自治区、直辖市党委负责并报告工作。

巡视工作领导小组组长由同级党的纪律检查委员会书记担任，副组长一般由同级党委组织部部长担任。巡视工作领导小组组长为组织实施巡视工作的主要责任人。

中央巡视工作领导小组应当加强对省、自治区、直辖市党委，中央有关部委，中央国家机关部门党组（党委）巡视工作的领导。

第六条　巡视工作领导小组的职责是：

（一）贯彻党的中央委员会和同级党的委员会有关决议、决定；

（二）研究提出巡视工作规划、年度计划和阶段任务安排；

（三）听取巡视工作汇报；

（四）研究巡视成果的运用，分类处置，提出相关意见和建议；

（五）向同级党组织报告巡视工作情况；

（六）对巡视组进行管理和监督；

（七）研究处理巡视工作中的其他重要事项。

第七条　巡视工作领导小组下设办公室，为其日常办事机构。

中央巡视工作领导小组办公室设在中央纪律检查委员会。

省、自治区、直辖市党委巡视工作领导小组办公室为党委工作部门，设在同级党的纪律检查委员会。

第八条　巡视工作领导小组办公室的职责是：

（一）向巡视工作领导小组报告工作情况，传达贯彻巡视工作领导小组的决策和部署；

（二）统筹、协调、指导巡视组开展工作；

（三）承担政策研究、制度建设等工作；

（四）对派出巡视组的党组织、巡视工作领导小组决定的事项进行督办；

（五）配合有关部门对巡视工作人员进行培训、考核、监督和管理；

（六）办理巡视工作领导小组交办的其他事项。

第九条　党的中央和省、自治区、直辖市委员会设立巡视组，承担巡视任务。巡视组向巡视工作领导小组负责并报告工作。

第十条　巡视组设组长、副组长、巡视专员和其他职位。巡视组实行组长负责制，副组长协助组长开展工作。

巡视组组长根据每次巡视任务确定并授权。

第十一条　巡视工作人员应当具备下列条件：

（一）理想信念坚定，对党忠诚，在思想上政治上行动上同党中央保持高度一致；

（二）坚持原则，敢于担当，依法办事，公道正派，清正廉洁；

（三）遵守党的纪律，严守党的秘密；

（四）熟悉党务工作和相关政策法规，具有较强的发现问题、沟通协调、文字综合等能力；

（五）身体健康，能胜任工作要求。

第十二条　选配巡视工作人员应当严格标准条件，对不适合从事巡视工作的人员，应当及时予以调整。

巡视工作人员应当按照规定进行轮岗交流。

巡视工作人员实行任职回避、地域回避、公务回避。

第三章　巡视范围和内容

第十三条　中央巡视组的巡视对象和范围是：

（一）省、自治区、直辖市党委和人大常委会、政府、政协党组领导班子及其成员，省、自治区、直辖市高级人民法院、人民检察院党组主要负责人，副省级城市党委和人大常委会、政府、政协党组主要负责人；

（二）中央部委领导班子及其成员，中央国家机关部委、人民团体党组（党委）领导班子及其成员；

（三）中央管理的国有重要骨干企业、金融企业、事业单位党委（党组）领导班子及其成员；

（四）中央要求巡视的其他单位的党组织领导班子及其成员。

第十四条　省、自治区、直辖市党委巡视组的巡视对象和范围是：

（一）市（地、州、盟）、县（市、区、旗）党委和人大常委会、政府、政协党组领导班子及其成员，市（地、州、盟）中级人民法院、人民检察院和县（市、区、旗）人民法院、人民检察院党组主要负责人；

（二）省、自治区、直辖市党委工作部门领导班子及其成员，政府部门、人民团体党组（党委、党工委）领导班子及其成员；

（三）省、自治区、直辖市管理的国有企业、事业单位党委（党组）领导班子及其成员；

（四）省、自治区、直辖市党委要求巡视的其他单位的党组织领导班子及其成员。

第十五条　巡视组对巡视对象执行《中国共产党章程》和其他党内法规，遵守党的纪律，落实全面从严治党主体责任和监督责任等情况进行监督，着力发现党的领导弱化、党的建设缺失、全面从严治党不力，党的观念淡漠、组织涣散、纪律松弛，管党治党宽松软问题：

（一）违反政治纪律和政治规矩，存在违背党的路线方针政策的言行，有令不行、有禁不止、阳奉阴违、结党营私、团团伙伙、拉帮结派，以及落实意识形态工作责任制不到位等问题；

（二）违反廉洁纪律，以权谋私、贪污贿赂、腐化堕落等问题；

（三）违反组织纪律，违规用人、任人唯亲、跑官要官、买官卖官、拉票贿选，以及独断专行、软弱涣散、严重不团结等问题；

（四）违反群众纪律、工作纪律、生活纪律，落实中央八项规定精神不力，搞形式主义、官僚主义、享乐主义和奢靡之风等问题；

（五）派出巡视组的党组织要求了解的其他问题。

第十六条　派出巡视组的党组织可以根据工作需要，针对所辖地方、部门、企事业单位的重点人、重点事、重点问题或者巡视整改情况，开展机动灵活的专项巡视。

第四章　工作方式和权限

第十七条　巡视组可以采取以下方式开展工作：

（一）听取被巡视党组织的工作汇报和有关部门的专题汇报；

（二）与被巡视党组织领导班子成员和其他干部群众进行个别谈话；

（三）受理反映被巡视党组织领导班子及其成员和下一级党组织领导班子主要负责人问题的来信、来电、来访等；

（四）抽查核实领导干部报告个人有关事项的情况；

（五）向有关知情人询问情况；

（六）调阅、复制有关文件、档案、会议记录等资料；

（七）召开座谈会；

（八）列席被巡视地区（单位）的有关会议；

（九）进行民主测评、问卷调查；

（十）以适当方式到被巡视地区（单位）的下属地方、单位或者部门了解情况；

（十一）开展专项检查；

（十二）提请有关单位予以协助；

（十三）派出巡视组的党组织批准的其他方式。

第十八条　巡视组依靠被巡视党组织开展工作，不干预被巡视地区（单位）的正常工作，不履行执纪审查的职责。

第十九条　巡视组应当严格执行请示报告制度，对巡视工作中的重要情况和重大问题及时向巡视工作领导小组请示报告。

特殊情况下，中央巡视组可以直接向中央巡视工作领导小组组长报告，省、自治区、直辖市党委巡视组可以直接向省、自治区、直辖市党委书记报告。

第二十条　巡视期间，经巡视工作领导小组批准，巡视组可以将被巡视党组织管理的干部涉嫌违纪违法的具体问题线索，移交有关纪律检查机关或者政法机关处理；对群众反映强烈、明显违反规定并且能够及时解决的问题，向被巡视党组织提出处理建议。

第五章　工作程序

第二十一条　巡视组开展巡视前，应当向同级纪检监察机关、政法机关和组织、审计、信访等部门和单位了解被巡视党组织领导班子及其成员的有关情况。

第二十二条　巡视组进驻被巡视地区（单位）后，应当向被巡视党组织通报巡视任务，按照规定的工作方式和权限，开展巡视了解工作。

巡视组对反映被巡视党组织领导班子及其成员的重要问题和线索，可以进行深入了解。

第二十三条　巡视了解工作结束后，巡视组应当形成巡视报告，如实报告了解的重要情况和问题，并提出处理建议。

对党风廉政建设等方面存在的普遍性、倾向性问题和其他重大问题，应当形成专题报告，分析原因，提出建议。

第二十四条　巡视工作领导小组应当及时听取巡视组的巡视情况汇报，研究提出处理意见，报派出巡视组的党组织决定。

第二十五条　派出巡视组的党组织应当及时听取巡视工作领导小组有关情况汇报，研究并决定巡视成果的运用。

第二十六条　经派出巡视组的党组织同意后，巡视组应当及时向被巡视党组织领导班子及其主要负责人分别反馈相关巡视情况，指出问题，有针对性地提出整改意见。

根据巡视工作领导小组要求，巡视组将巡视的有关情况通报同级党委和政府有关领导及其职能部门。

第二十七条　被巡视党组织收到巡视组反馈意见后，应当认真整改落实，并于2个月内将整改情况报告和主要负责人组织落实情况报告，报送巡视工作领导小组办公室。

被巡视党组织主要负责人为落实整改工作的第一责任人。

第二十八条　对巡视发现的问题和线索，派出巡视组的党组织作出分类处置的决定后，依据干部管理权限和职责分工，按照以下途径进行移交：

（一）对领导干部涉嫌违纪的线索和作风方面的突出问题，移交有关纪律检查机关；

（二）对执行民主集中制、干部选拔任用等方面存在的问题，移交有关组织部门；

（三）其他问题移交相关单位。

第二十九条　有关纪律检查机关、组织部门收到巡视移交的问题或者线索后，应当及时研究提出谈话函询、初核、立案或者组织处理等意见，并于3个月内将办理情况反馈巡视工作领导小组办公室。

第三十条　派出巡视组的党组织及其组织部门应当把巡视结果作为干部考核评价、选拔任用的重要依据。

第三十一条　巡视工作领导小组办公室应当会同巡视组采取适当方式，了解和督促被巡视地区（单位）整改落实工作并向巡视工作领导小组报告。

巡视工作领导小组可以直接听取被巡视党组织有关整改情况的汇报。

第三十二条　巡视进驻、反馈、整改等情况，应当以适当方式公开，接受党员、干部和人民群众监督。

第六章　纪律与责任

第三十三条　派出巡视组的党组织和巡视工作领导小组应当加强对巡视工作的领导。对领导巡视工作不力，发生严重问题的，依据有关规定追究相关责任人员的责任。

第三十四条　纪检监察机关、审计机关、政法机关和组织、信访等部门及其他有关单位，应当支持配合巡视工作。对违反规定不支持配合巡视工作，造成严重后果的，依据有关规定追究相关责任人员的责任。

第三十五条　巡视工作人员应当严格遵守巡视工作纪律。巡视工作人员有下列情形之一的，视情节轻重，给予批评教育、组织处理或者纪律处分；涉嫌犯罪的，移送司法机关依法处理：

（一）对应当发现的重要问题没有发现的；

（二）不如实报告巡视情况，隐瞒、歪曲、捏造事实的；

（三）泄露巡视工作秘密的；

（四）工作中超越权限，造成不良后果的；

（五）利用巡视工作的便利谋取私利或者为他人谋取不正当利益的；

（六）有违反巡视工作纪律的其他行为的。

第三十六条　被巡视党组织领导班子及其成员应当自觉接受巡视监督，积极配合巡视组开展工作。

党员有义务向巡视组如实反映情况。

第三十七条　被巡视地区（单位）及其工作人员有下列情形之一的，视情节轻重，对该地区（单位）领导班子主要负责人或者其他有关责任人员，给予批评教育、组织处理或者纪律处分；涉嫌犯罪的，移送司法机关依法处理：

（一）隐瞒不报或者故意向巡视组提供虚假情况的；

（二）拒绝或者不按照要求向巡视组提供相关文件材料的；

（三）指使、强令有关单位或者人员干扰、阻挠巡视工作，或者诬告、陷害他人的；

（四）无正当理由拒不纠正存在的问题或者不按照要求整改的；

（五）对反映问题的干部群众进行打击、报复、陷害的；

（六）其他干扰巡视工作的情形。

第三十八条　被巡视地区（单位）的干部群众发现巡视工作人员有本条例第三十五条所列行为的，可以向巡视工作领导小组或者巡视工作领导小组办公室反映，也可以依照规定直接向有关部门、组织反映。

第七章　附　则

第三十九条　各省、自治区、直辖市党委可以根据本条例，结合各自实际，制定实施办法。

第四十条　中国人民解放军和中国人民武装警察部队的党组织实行巡视制度的规定，由中央军委参照本条例制定。

第四十一条　本条例由中央纪委会同中央组织部解释。

第四十二条　本条例自 2015 年 8 月 3 日起施行。2009 年 7 月 2 日中共中央印发的《中国共产党巡视工作条例（试行）》同时废止。

本书视频索引

第一集《利剑高悬》完整视频......001

第二集《政治巡视》完整视频......023

第三集《震慑常在》完整视频......047

第四集《巡视全覆盖》完整视频......069